U0744022

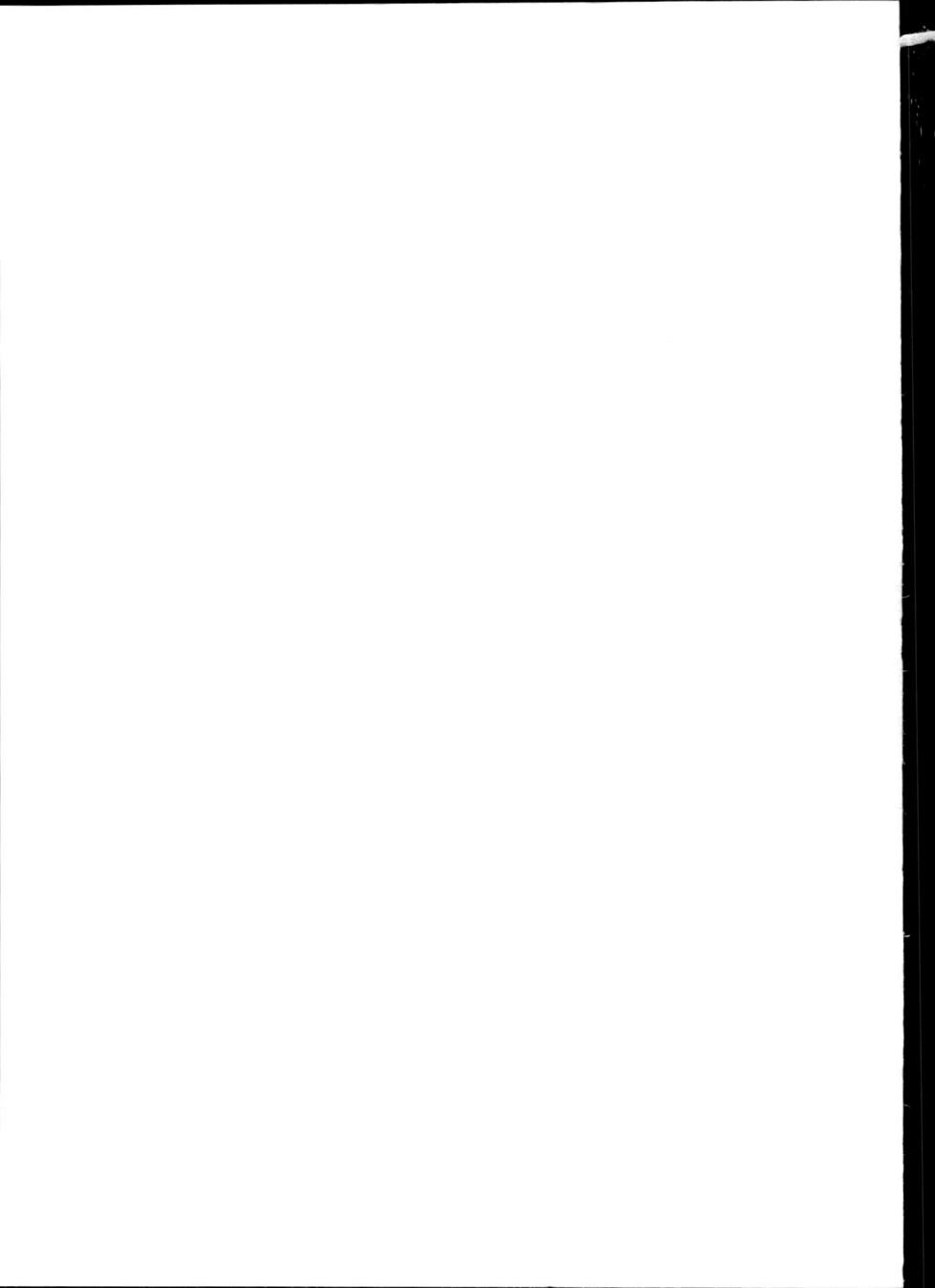

北京城杂忆 修订版

萧乾 著

文洁若 编

生活·读书·新知 三联书店

写在前面

　　萧乾（1910—1999），原名萧秉乾。蒙古族。北京人。著名记者、作家、翻译家。

　　萧乾的一生充满坎坷与传奇。20世纪30代初，萧乾与有姐弟之谊的杨刚有过一次"宿命"般的谈话：你就这么横冲直撞，不带张地图？没有地图照样可以走路，而且更不平淡，更有趣，更富于冒险性。我告诉她，我决心做个不带地图的旅人。自此，"不带地图的旅人"成为萧乾一生的标符。其实，他自少年丧母，生活于别人的矮檐下，为了生存与理想，即已开始了漂泊与奔波的生涯。

　　1935年，从燕京大学毕业的萧乾入职《大公报》，编副刊。这是他走出校门后的第一个岗位，也是他一生工作最久的地方。1939年，萧乾接受英国伦敦大学东方学院邀请赴伦敦任教，同时兼《大公报》驻英记者，拉开了他冒险传奇人生的大幕。从1939年到1946年，作为"二战"时期西欧战场上唯一的中国记者，他穿梭于银风筝下的伦敦、南德的暮秋、装满炸药的军车上、海域布满水雷的战舰上、波兹坦会议、纳粹战犯的审判大会、联合国大会……一系列的采访报道，震惊中外。欧洲七载烽火岁月，在大轰炸与枪林弹雨中出生入死，为萧乾记者生涯中最辉煌时期，也使他成为中国新闻史上难以绕过的人物。

1949 年 8 月，萧乾谢绝剑桥大学的聘请和友人的一再挽留，怀着一颗赤子之心回国投身于新中国的新闻与文艺的建设中，先后担任过《人民中国》副主编、《文艺报》副总编等职务。这期间，他个人最为满意的成绩则是翻译出了《好兵帅克》、《大伟人江奈生·魏尔德传》、《莎士比亚戏剧故事全集》等多种作品。1957 年，他被划为右派，下放农场劳动。在那个暴风雨的年代里，这位出身贫寒之家的遗腹子，进入了人生的"冰河"时代。1978 年春，辍笔二十余年的萧乾复出文坛，他自嘲为"我这木乃伊居然又动弹起来"。从此他人生中最后的二十二载春秋，成为他创作生涯的第二个春天。萧乾横溢的才思如火山喷发，经常是他一天写的文章，其夫人文洁若要誊抄一整晚都来不及。1990 年，八十高龄的萧乾偕夫人，经过四年多的辛勤耕耘，翻译出版了爱尔兰小说家乔伊斯的《尤利西斯》，成为译界传奇。

萧乾一生著译宏丰。20 世纪 30 年代，他就以《梦之谷》、《篱下集》、《栗子》、《落日》、《灰烬》等作品享誉文坛；协助老师斯诺翻译《活的中国》，同时将一批优秀的中国文艺作品译成英文出版。晚年的萧乾笔耕不辍，不知疲倦，耄耋之年还发誓"这支笔打算拿到最后一息"；先后出版了《红毛长谈》、《负笈剑桥》、《未带地图的旅人》、《八十自省》等十多部著作。1998年10月，320万字的《萧乾文集》（10卷）出版。除此之外，他在担任中央文史研究馆馆长期间，主编了50册、600万字的《新编文史笔记》丛书，成为弥足珍贵的史料。

萧乾先生在《回忆创作生涯六十年》一文中自谦道："综观我这一生，可以说是介于文艺与新闻之间的两栖动物。"对此，冰心老人的评语最为中肯："萧乾是个多才多艺的人，他是个多面手，会创作、会翻译、会报道……像他这样什么都能来一手的作家，在现代中国文坛上是罕见的。"

《北京城杂忆》为劫后余生的萧乾先生站在今和昨、新和旧的北京之间，以抚今追昔的心情，用独特的京白抒写过往的人、事、城。幽默、俏皮、利落的文字中糅进了伤感的留恋和深刻的反思。例如：《北京城杂忆》表明他热爱向现代化发展的北京，可更怀恋老北京的城墙、城楼，各式小吃，百样的吃喝，热闹的民俗场景；《欧战杂忆》掠影式地回忆了萧乾作为《大公报》老板胡霖预先摆放在欧洲的一颗"棋子"，命悬旦夕，终由"敌性外侨"变成"伟大盟邦的公民";《"文革"杂忆》用那个疯狂年代里出现的奇闻怪事,对那段灾难历史进行反思;《在歌声中回忆》是"歌声"将萧乾人生路上留下的印记串在一起,每支具有时代特征的"歌"中透出他当时的心境和情绪;《三姐常韦》深情地追忆妻姐常韦与他一家人几十年患难与共、无私奉献的一生……这本"杂忆"虽薄,但作者从幼时孤儿寡母的贫苦生活、求学反抗、远赴南国,写到登上文坛、主持《大公报》副刊、"二战"旅欧七载、"荣归"故里,乃至厄运迭起、平反复出,最后老当益壮。这里大到战争风云、时代巨变,小到个人情感、吃穿住行,无不精彩纷呈。真可谓"走遍了天下,写尽了人生"。

1999年,《北京城杂忆》收入我店"三联精选"时,作者刚刚病逝,最终由文洁若先生定目、出版。本次出版即据之为底本,文洁若先生重新编目,删落原本两篇附录,另同时增补了11篇:《欧战杂忆》、《"文革"杂忆》、《改正之后》、《在歌声中回忆》、《心债》、《三姐常韦》、《我的书房史》、《创作断想》、《抗老哲学》、《写到不能拿笔的那一天》、《人生感怀》。我们即以此为修订新本,编辑付印。

生活·讀書·新知 三联书店编辑部

2012年4月

目 录

北京城杂忆

一　市与城

如今晚儿，刨去前门楼子和德胜门楼子，九城全拆光啦。提起北京，谁还用这个"城"字儿？我单单用这个字眼儿，是透着我顽固？还是想当个遗老？您要是这么想可就全拧啦。

咱们就先打这个"城"字儿说起吧。

"市"当然更冠冕堂皇喽，可在我心眼儿里，那是个行政划分，表示上头还有中央和省哪。一听"市"字，我就想到什么局呀处呀的。可是"城"使我想到的是天桥呀地坛呀，东安市场里的人山人海呀，大糖葫芦小金鱼儿什么的。所以还是用"城"字儿更对我的心思。

我是羊管儿胡同生人，东直门一带长大的。头十八岁，除了骑车跑过趟通州，就没出过这城圈儿。如今奔七十六啦，这辈子跑江湖也到过十来个国家的首都。哪个也比不上咱们这座北京城。北京"市",大家伙儿现下瞧得见,还用得着我来唠叨!我专门说说北京"城"吧。

谈起老北京来,我心里未免有点儿嘀咕!说它坏,倒落不到不是。要是说它好,会不会又有人出来挑剔?其实,该好就是好,该坏就是坏。用不着多操那份儿心。反正好的也说不坏,坏的说成好,也白搭。您说是不是这个理儿?

况且时代朝前跑啦。从前用手摇的,后来改用马达了——现在都使上电子计算机啦。这么一来,大家伙儿自然就不像从前那么闲在了。所以有些事儿就得简单点儿。就说规矩礼数吧,从前讲究磕头,请安,作揖。那多耽误时候!如今点个头算啦。我赞成简单点。您瞧,我这人不算老古板吧!

可凡事都别做过了头。就拿"文明语言"来说吧。本来世界上哪国也比不上咱北京人讲话文明。往日谁给帮点儿忙,得说声"劳驾";送点儿礼,得说"费心";向人打听个道儿,先说"借光";叫人花了钱,说声"破费"。光这一个"谢"字儿,就有多么丰富、讲究。

现在倒好,什么都当"修"给反掉啦,闹得如今北京人连声"谢谢"也不会说了,还得政府成天在电匣子里教,您说有多臊人呀！那简直就像少林寺的大和尚连柔软体操也练不利落了。

您说怎么不叫我这老北京伤心掉泪儿！

二　京白

50年代为了听点儿纯粹的北京话，我常出前门去赶相声大会，还邀过叶圣陶老先生和老友严文井。现在除了说老段子，一般都用普通话了。虽然未免有点儿可惜，可我估摸着他们也是不得已。您想，现今北京城扩大了多少倍！两湖两广陕甘宁，真正的老北京早成"少数民族"啦。要是把话说纯了，多少人能听得懂？印成书还能加个注儿。台上演的，台下要是不懂，没人乐，那不就砸锅啦？

所以我这篇小文也不能用纯京白写下去啦。我得花搭着来——"花搭"这个词儿，作兴就会有人不懂。它跟"清一色"正相反：就是京白和普通话掺着来。

京白最讲究分寸。前些日子从南方来了位愣小伙子来看我。忽然间他问我"你几岁了？"我听了好不是滋味儿。瞅见怀里抱着的，手里拉着的娃娃才那么问哪。稍微大点儿，上中学的，就得问："十几啦？"问成人"多大年纪"。有时中年人也问"贵庚"，问老年人"高寿"，可那是客套了，我赞成朴素点儿。

北京话里，三十"来"岁跟三十"几"岁可不是一码事。三十"来"岁是指二十七八，快三十了。三十"几"岁就是三十出头了。就是夸起什么来，也有分寸。起码有三档。"挺"好和"顶"好发音近似，其实还差着一档。"挺"相当于文言的"颇"，褒语最低的一档是"不赖"。就是现在常说的"还可以"。代名词"我们"和"咱们"在用法上也有讲究。"咱们"一般包括对方，"我们"有时候不包括。"你们是上海人，我们是北京人，咱们都是中国人。"

京白最大的特点是委婉。常听人抱怨如今的售货员说话生硬——可那总比带理不理强哪。从前，你只要往柜台前头一站，柜台里头的就会跑过来问："您来点儿什么？""哪件可您的心意？"看出你不想买，就打消顾虑说："您随便儿看，买不买没关系。"

委婉还表现在使用导语上。现在讲究直来直去，倒是省力气，有好处。可有时候猛孤丁来一句，会吓人一跳。导语就是在说正话之前，先来上半句话打个招呼。比方说，知道你想见一个人，可他走啦。开头先说，"您猜怎么着——"要是由闲话转入正题，先说声："喂，说正格的——"就是希望你严肃对待他底下这段话。

委婉还表现在口气和角度上。现在骑车的要行人让路，不是按铃，就是硬闯，最客气的才说声"靠边儿"。我年轻时，最起码也得说声"借光"。会说话的，在"借光"之外，再加上句"溅身泥"。这就替行人着想了，怕脏了您的衣服。这种对行人的体贴往往比光喊一声"借光"来得有效。

京白里有些词儿用得妙。现在夸朋友的女儿貌美，大概都说："长得多漂亮啊！"京白可比那花哨。先来一声"哟"，表示惊讶，然后才说："瞧您这闺女模样儿出落得多水灵啊！"相形之下，"长得"死板了点儿，"出落"就带有"发展中"的含义，以后还会更美；而"水灵"这个字除了静的形态（五官端正）之外，还包含着雅、娇、甜、嫩等等素质。

名物词后边加"儿"字是京白最显著的特征，也是说得地道不地道的试金石。已故文学翻译家傅雷是语言大师。50年代我经手过他的稿子，译文既严谨又流畅，连每个标点符号都经过周详的仔细斟酌，真是无懈可击。然而他有个特点：是上海人可偏偏喜欢用京白译书。有人说他的稿子不许人动一个字。我就在稿中"儿"字的用法上提过些意见，他都十分虚心地照改了。

正像英语里冠词的用法，这"儿"字也有点儿捉摸不定。大体上说，"儿"字有"小"意，因而也往往带有爱昵之意。小孩加"儿"字，大人后头就不能加，除非是挖苦一个佯装成人老气横秋的后生，说："嗬，你成了个小大人儿啦。"反之，一切庞然大物都加不得"儿"字，比如学校、工厂、鼓楼或衙门。马路不加，可"走小道儿"、"转个弯儿"就加了。当然，小时候也听人管太阳叫过"老爷儿"。那是表示亲热，把它人格化了。问老人"您身子骨儿可硬朗啊"，就比"身体好啊"亲切委婉多了。

京白并不都娓娓动听。北京人要骂起街来，也真不含糊。我小时，学校每年办冬赈之前，先派学生去左近一带贫民家里调查，然后，按贫穷程度发给不同级别的领物证。有一回我参加了调查工作，刚一进胡同，就看见显然在那巡风的小孩跑回家报告了。我们走进那家一看，哎呀，大冬天的，连床被子也没有，几口人全蜷缩在炕角上。当然该给甲级喽。临出门，我多了个心眼儿，朝院里的茅厕探了探头。嗬，两把椅子上是高高一叠新棉被。于是，我们就要女主人交出那甲级证。她先是甜言蜜语地苦苦哀求。后来看出不灵了，系了红兜肚的女人就叉腰横堵在门坎上，足足骂了我们一刻钟，而且一个字儿也不重，从三姑六婆一直骂到了动植物。

《日出》写妓院的第三幕里，有个家伙骂了一句"我教你养孩子没屁股眼儿"，咒得有多狠！

可北京更讲究损人——就是骂人不带脏字儿。挨声骂，当时不好受。可要挨句损，能叫你恶心半年。

有一年冬天，我雪后骑车走过东交民巷，因为路面滑，车一歪，差点儿把旁边一位骑车的仁兄碰倒。他斜着瞅了我一眼说："嗨，别在这儿练车呀！"一句话就从根本上把我骑车的资格给否定了。还有一回因为有急事，我在人行道上跑。有人给了我一句："干嘛？奔丧哪！"带出了恶毒的诅咒。买东西嫌价钱高，问少点儿成不成，卖主朝你白白眼说："你留着花吧。"听了有多窝心！

三　吆喝

一位20年代在北京做寓公的英国诗人奥斯伯特·斯提维尔写过一篇《北京的声与色》，把当时走街串巷的小贩用以招徕顾客而做出的种种音响形容成街头管弦乐队，并还分别列举了哪是管乐、弦乐和打击乐器。他特别喜欢听串街的理发师（"剃头的"）手里那把钳形铁铉。用铁板从中间一抽，就会刺溜一声发出带点颤巍的金属声响，认为很像西洋乐师们用的定音叉。此外，布贩子手里的拨浪鼓和珠宝玉石收购商打的小鼓，也都给他以快感。当然还有磨剪子磨刀的吹的长号。他惊奇的是，每一乐器，各代表一种行当，而坐在家里的主妇一听，就准知道街上过的什么商贩。最近北京人民电台还广播了阿隆·阿甫夏洛穆夫以北京胡同音响为主题的交响诗，很有味道。

囿于语言的隔阂，洋人只能欣赏器乐。其实，更值得一提的是声乐部分——就是北京街头各种商贩的叫卖。

听过相声《卖布头》或《大改行》的，都不免会佩服当年那些叫卖者的本事。得气力足，嗓子脆，口齿伶俐，咬字清楚，还要会现编词儿，脑子快，能随机应变。

我小时候，一年四季不论刮风下雨，胡同里从早到晚叫卖声没个停。

大清早过卖早点的：大米粥呀，油炸果（鬼）的。然后是卖青菜和卖花儿的，讲究把挑子上的货品一样不漏地都唱出来，用一副好嗓子招徕顾客。白天就更热闹了，就像把百货商店和修理行业都拆开来，一样样地在你门前展销。到了夜晚的叫卖声也十分精彩。

"馄饨喂——开锅！"这是特别给开夜车的或赌家们备下的夜宵，就像南方的汤圆。在北京，都说"剃头的挑子，一头热"。其实，馄饨挑子也一样。一头儿是一串小抽屉，里头放着各种半制成的原料：皮儿、馅儿和佐料儿，另一头是一口汤锅。火门一打，锅里的水就沸腾起来。馄饨不但当面煮，还讲究现吃现包。讲究皮要薄，馅儿要大。

从吆喝来说，我更喜欢卖硬面饽饽的：声音厚实，词儿朴素，就一声"硬面——饽饽"，光宣布卖的是什么，一点也不吹嘘什么。

可夜晚过的，并不都是卖吃食的。还有唱话匣子的。大冷天，背了一具沉甸甸的留声机和半箱唱片。唱的多半是京剧或大鼓。我也听过一张不说不唱的叫"洋人哈哈笑"，一张片子从头笑到尾。我心想，多累人啊！我最讨厌胜利公司那个商标了；一只狗蹲坐在大喇叭前头，支棱着耳朵在听唱片。那简直是骂人。

那时夜里还经常过敲小钹的盲人，大概那也属于打击乐吧。"算灵卦！"我心想："怎么不先替你自己算算！"还有过乞丐。至今我还记得一个乞丐叫得多么凄厉动人。他几乎全部用颤音。先挑高了嗓子喊"行好的——老爷——太（哎）太"，过好一会儿（好像饿得接不上气儿啦），才接下去用低音喊："有那剩饭——剩菜——赏我点儿吃吧！"

四季叫卖的货色自然都不同。春天一到，卖大小金鱼儿的就该出来了。我对卖蛤蟆骨朵儿（未成形的幼蛙）最有好感，一是我买得起，花上一个制钱，就往碗里捞上十来只；二是玩够了还能吞下去。我一直奇怪它们怎么没在我肚子里变成青蛙！ 一到夏天，西瓜和碎冰制成的雪花酪就上市了。秋天该卖"树熟的秋海棠"了。卖柿子的吆喝有简繁两种。简的只一声"喝了蜜的大柿子"。其实满够了。可那时小贩都想卖弄一下嗓门儿，所以有的卖柿子的不但词儿编得热闹，还卖弄一通唱腔。 最起码也得像歌剧里那种半说半唱的道白。一到冬天，"葫芦儿——刚蘸得"就出场了。那时，北京比现下冷多了。 我上学时鼻涕眼泪总冻成冰。只要兜里还有个制钱，一听"烤白薯哇真热乎"，就非买上一块不可。一路上既可以把那烫手的白薯揣在袖筒里取暖，到学校还可以拿出来大嚼一通。

叫卖实际上就是一种口头广告，所以也得变着法儿吸引顾客。比如卖一种用秫秸秆制成的玩具，就吆喝："小玩意儿赛活的。"有的吆喝告诉你制作的过程，如城厢里常卖的一种近似烧卖的吃食，就介绍得十分全面："蒸而又炸呀，油儿又白搭。 面的包儿来，西葫芦馅儿啊，蒸而又炸。"也有简单些的，如"卤煮喂，炸豆腐哟"。有的借甲物形容乙物，如 "栗子味儿的白薯"或"萝卜赛过梨"。"葫芦儿——冰塔儿"既简洁又生动，两个字就把葫芦（不管是山楂、荸荠还是山药豆的）形容得晶莹可人。卖山里红（山楂）的靠戏剧性来吸引人。"就剩两挂啦。"其实，他身上挂满了那用绳串起的紫红色果子。

有的小贩吆喝起来声音细而高，有的低而深沉。我怕听那种忽高忽低的。也许由于小时人家告诉我卖荷叶糕的是"拍花子的"——拐卖儿童的，我特别害怕。他先尖声尖气地喊一声"一包糖来"，然后放低至少八度，来一声"荷叶糕"。这么叫法的还有个卖荞麦皮的。有一回他在我身后"哟"了一声，把我吓了个马趴。等我站起身来，他才用深厚的男低音唱出"荞麦皮耶"。

特别出色的是那种合辙押韵的吆喝。我在小说《邓山东》里写的那个卖炸食的确有其人，至于他替学生挨打，那纯是我瞎编的。有个卖萝卜的这么吆喝："又不糠来又不辣，两捆萝卜一个大。""大"就是一个铜板。甚至有的乞丐也油嘴滑舌地编起快板："老太太（那个）真行好，给个饽饽吃不了。东屋里瞧（那么）西屋里看，没有饽饽赏碗饭。"

现在北京城倒还剩一种吆喝，就是"冰棍儿——三分啦"。语气间像是五分的减成三分了。其实就是三分一根儿。可见这种带戏剧性的叫卖艺术并没失传。

四 昨天

40年代，有一回我问英国汉学家魏礼怎么不到中国走走，他无限怅惘地回答说："我想在心目中永远保持着唐代中国的形象。"我说，中国可不能老当个古玩店。去秋我重访英伦，看到原来满是露天摊贩的剑桥市场，盖起纽约式的"购物中心"，失去了它固有的中古风貌，也颇有点不自在。继而一想，国家、城市，都得顺应时代，往前走，不能老当个古玩店。

为了避免看官误以为我在这儿大发怀古之幽思，还是先从大处儿说说北京的昨天吧。意思不外乎是"温故而知新"。

还是从我最熟悉的东城说起吧。拿东直门大街来说，当时马路也就现在四分之一那么宽，而且是土道，上面只薄薄铺了层石头子儿，走起来真硌脚！碰上刮风，沙土能打得叫人睁不开眼。一下雨，我经常得蹚着"河"回家。我们住的房还算好，只漏没塌，不然我也活不到今天了。可是只要下雨，（记得有一年足足下了一个月！）家里和面的瓦盆，搪瓷脸盆，甚至尿盆就全得请出来，先是滴滴嗒嗒地漏，下大发了就哗哗地往下流。比我们更倒霉的还有的是呢，每回下雨都得塌几间，不用说，就得死几口子。

那时候动不动就戒严。城门关上了，街上不许走人。街上的路灯比香头亮不了多少，胡同里更是黑黢黢的。记得一回有个给人做活计的老太太，挎着一包袱棉花走道儿，一个歹人以为是皮袄，上去就抢。老太太不撒手。那家伙动了武，老太太没气儿啦。第二天就把那凶手的头砍下来，挂在电线杆子上。

看《龙须沟》看到安自来水那段，我最感动了。那时候平民只能吃井水，而且还分苦甜两种。比较过得去的，每天有水车给送到家门口。水车推起来还吱吱咕咕地叫，倒挺好听的。我们家自己就钉了个小车，上头放两只煤油桶，自己去井台上拉，可也不能白拉。

这几年在北京不大看见掏粪的了。那时候除了住在东单牌楼一带的洋人和少数阔佬，差不多都得蹲茅坑，所以到处都过掏粪的。粪是人中宝。所以有粪霸，也有水霸，都各有划分地带，有时候也闹斗殴。

至于垃圾，满街都是，根本没有站。北京城有两个地名起得特别漂亮：一个是护国寺旁边的"百花深处"；一个是我上学必经过的"八宝坑"。可笑的是，这两个地方那时堆的垃圾都特别多，所以走过时得捏着鼻子。

我小学一二年级的时候，北京有电车了。起初只从北新桥开到东单。开的时候驾驶员一路还很有节奏地踩着脚铃，所以也叫"叮当车"。我头回坐，还是冰心大姐的小弟为楫请的。从北新桥上去没多会儿，就听旁边有人嘀咕："这要是一串电，眼睛还不瞎呀！"我听了害起怕来。票买到东单，可我一到十二条就非下去不可。我一回想这件事心里就不对劲儿，因为这证明那时我胆儿有多么小！

50年代为防细菌战，北京不许养狗了，真可我心意。小时候我早晨送羊奶，每次撂下奶瓶取走空瓶时，常挨狗咬。那阵子每逢去看人，拍完门先躲开，老怕有恶犬从里头扑出来。1945年在德国看纳粹集中营的种种刑具时，在我看来，最可怕的刑罚是用十八条狼犬活活把人扯成八瓣儿咬死。

那里出门还常遇到乞丐。一家大小饿肚皮，出来要点儿，本是值得同情的。可有些乞丐专靠恐怖方法恶化缘。在四牌楼一家铺子门前，我就见过一个三十来岁满脸泥污的乞丐，他把自己的胳膊用颗大钉子钉到门框上，不给或者不给够了，就不走。更多的乞丐是利用自己身上的脏来讹诈。他浑身泥猴儿似的紧紧跟在你身后。心狠的就偏不给，叫他跟下去，但一般总是快点儿打发掉了心净。可是这个走了，另一群又会跟上来。

另外还有变相乞丐，叫"念喜歌儿"的。听见哪家有点儿喜事，左不是新婚，孩子满月，要不就是老爷升官，少爷毕业，他们就打着竹板儿到门前念起喜歌了。也是不给赏钱不走。要是实在拿不到钱，还有改口念起"殃歌儿"来的呢。比方说，在办喜事的家门口念道："一进门来喜冲冲，先当裤子后当灯。"完全是咒话。

比恶化缘更加可怕的，是"过大车的"。我就碰上过一回，那时候我刚上初中，好几宿都睡不踏实。"大车"就是拉到天桥去执行枪毙的死囚车，是辆由两匹马拉的敞车。车沿上坐着三条"好汉"。一个个背上插着个"招子"，罪名上头还画着红圈儿。旁边是武装看守——也许就是刽子手。死囚大概为了壮壮胆，一路上大声唱着不三不四的二黄。走过饽饽铺或者饭馆子，就嚷着停下来，然后就要酒要肉要吃的，一边大嚼还一边儿唱。因为是活不了几个钟头的人了，所以要什么就给什么。

那时候管警察叫巡警。经常看到他们跟拉车的作对，嫌车放的不是地方，就把车垫子抢走，叫他拉不成。另外还有英国人办的保安队。穿便衣的是侦缉队，专抓人的。我就吃过他们的苦头。后来又添上戴红箍的宪兵。可是最凶的还是大兵（那时通称作"丘八"），因为他们腰里挂着盒子炮。我永远忘不了去东安市场吉祥戏院碰上的那回大兵砸戏馆子。什么茶壶、板凳全从楼上硬往池子里扔。带我去的亲戚是抱着我跳窗户逃出的。打那儿，我就跟京戏绝了缘。

我说的这些都不出东城。那时候北京真正的黑世界在南城。1950年我采访妓女改造，才知道八大胡同是怎样一座人间地狱。

我一直奇怪市妇联为什么不把那些材料整理一下，让现今的女青年们了解了解在昨天的北京，"半边天"曾经历过怎样悲惨的年月。

五 行当

每逢走过东四大街或北新桥，我总喜欢追忆一下五十年前那儿是个什么样子。就拿店铺来说，由于社会的变迁，不少行当根本消灭了，有的还在，可也改了方式和作用。

拿建筑行当里专搭脚手架的架子工来说，这在北京可是出名的行当。50年代我在火车上遇过一位年近七旬的劳模，他就是为修颐和园搭佛香阁的脚手架立的功。现在盖那么多大楼，这个工种准得吃香。可五六十年前北京哪儿有大楼盖呀。那时候干这一行的叫"搭棚的"。办红白喜事要搭。一到夏天，阔人家院里就都搭起凉棚来了。

那可真是套本事！拉来几车杉篙、几车绳子和席，把式们上去用不了半天工夫，四合院就覆盖上了。下边你爱娶媳妇、办丧事，随便。等办完事，那几位哥儿们又来了。噌噌噌爬上房，用不了一个时辰又全拆光；杉篙、席和绳子，全分门别类，有条不紊地放回大车上拉走了。

　　整个被消灭的行业，大都同迷信有关系。比如香烛冥纸这一行。从北新桥到四牌楼，就有好几家。那时候一年到头，香没完没了地烧。平常在家里烧，初一、十五上庙里烧。腊月二十三祭灶烧，八月十五供兔儿爷烧。一到清明，家家更得买点子冥纸。一张白纸凿上几个窟窿，就成制钱啦。金纸银纸糊成元宝形，死人拿到更阔气了。还有钞票：上面印着酆都银行，多少圆的都有。 拿到坟上去烧，一边儿烧，一边儿哭天号地。等腊月祭灶，就更热闹了。为了贿赂灶王爷，让他"上天言好事，下地保平安"，就替他烧个纸梯子，好像他根本没有上天的本事；并且要烧点子干豌豆，说是为了喂他的马。小时候祭完灶，我就赶快去灰烬里扒那烧糊了的豆子吃，味道美滋滋的。 不过吃完了嘴巴两边甚至半个脸就全成炭人儿啦。

　　现在糊灯笼和糊风筝的高手是工艺美术家了。那时候，还有糊楼库的。这种铺子也到处都是。办丧事的，怕死人到阴间在住房和交通工具上发生困难，就糊点子纸房子纸车纸马，有时还糊几名纸仆人。到七月盂兰节，就糊起法船来了，好让死人在阴间超度苦海，早早到达西天。这些都先得用秫秸秆儿搭成架子，然后糊上各种颜色的纸。工一个比一个细。糊人糊马讲究糊得惟妙惟肖。可到时候都一把火烧掉。有时候还专在马路当中去烧!

这就说到那时候办红白事来了。

先说结婚吧,那当然全由家里一手包办喽,新婚夫妇到了洞房才照面儿。订婚时,男方先往女方家里送鹅笼酒海,一挑挑的。那鹅一路上还从笼里伸出脖子来一声声地吼。做闺女的没出阁,就先得听几天鹅叫,越叫越心慌。女方呢,事先就一挑挑地往男家送嫁妆:从茶壶脸盆、铺盖衣服、掸瓶梳妆台到硬木家具。

那时候的交通警可不好当。娶亲的花轿,出殡的棺材,都专走马路当中。出殡的棺材起码也得八个"杠"——就是八个穿了蓝短褂的壮汉来抬。场面大的. 棺材上还罩个大盖子,最多的到六十四人杠。前面的执事还得占上半里地。娶亲的,花轿一般也是八个人抬。走在前边的执事可热闹啦!有刀枪剑戟、斧钺钩叉。到女家,女方还先把门关严,故意不开。外头敲锣打鼓,里头故意刁难,要乐师吹这个奏那个。再说,明明是白天,执事里干嘛举着木灯?后来学人类学才懂得,那显然是俘房婚姻制的遗留。

30 年代,我在燕京大学念书的时候,教务长梅贻宝先生结婚就特意用过花轿,新娘还是一位女教授。当时是活跃了校园的一桩趣事。

丧事呢，也涉及不少行业。我那时最怕走过寿衣铺。那是专卖为装殓死人用的服装店。枕头两头绣着荷花，帽子上还嵌着颗珠子。

有段快板是说棺材铺的："打竹板的迈大步，一迈迈到棺材铺。棺材铺掌柜的本事好，做出棺材来一头大，一头小。装上人，跑不了。"

那时候还有个行当，大都是些无业游民干的：专靠替人哭鼻子来谋生，叫号丧的。马路上一过出殡的，棺材前头常有这么一帮子，一个个缩着脖，揣着手，一声声地哀号着，也算是事主的一种排场。

这些，比我再小上一二十岁的人必然也都看见过。现在回顾一下这些可笑可悲的往事，可以看出现在社会的进步，就表现在人不那么愚昧了，因而浪费减少了。

可不知道21世纪的人们再回过头来看今天的我们，又还有哪些愚昧和浪费呢？

六　方便

现在讲服务质量，说白了就是个把方便让给柜台里的，还是让给柜台外的问题（当然最好是里外兼顾）。这是个每天都碰到的问题。比方说，以前牛奶送到家门口，现在每天早晨要排队去领。去年还卖奶票呢：今天忙了，或者下大雨，来不及去取，奶票还可以留着用。现在改写本本了，而且"过期作废"，这下发奶的人省事了，取奶的人可就麻烦啦。

"文革"后期上干校之前，我跑过几趟废品站，把劫后剩余的一些够格儿的破烂，用自行车老远驮去。收购的人大概也猜出那时候上门去卖东西的，必然都是些被打倒了的黑帮，所以就百般挑剔，这个不收，那个不要。气得我想扔到他门口，又觉得那太缺德，只好又驮回去。

以前收购废品的方式灵活多了，并不都是现钱交易。比方说，"换洋取灯儿的"就是用火柴来换破旧衣服和报纸。"换盆儿的"沿街敲着挑子上的新盆吆喊。主妇们可以用旧换新，有时候是两三个换一个，有时候再贴上点钱。如今倒好，家里存了不少啤酒瓶子，就是没地方收！

说起在北京吃馆子难，我就想起当年（包括 50 年代）"挑盒子菜的"。谁家来了客人，到饭馆子言语一声，到时候就把点的菜装到两个笼屉里，由伙计给挑家来了。也可以把饭馆里的厨师请到家里来掌勺。那时候有钱就好办事。现在有时候苦恼的是：有钱照样也干着急。

我小时门口过的修理行业简直数不清。现在碟碗砸了，一扔了事。以前可不是。门口老过"锔盆儿锔碗儿的"，挑子两头各有一只小铜锣，旁边拴着小锤儿，走起来就奏出细小的叮当响声。这种本事可大啦。随你把盆碗摔得多么碎，他都能一块块地给对上，并用黏料粘好，然后拉着弓子就把它锔上啦。每逢看到考古人员拼补出文物时，我就想，这正是"锔盆儿锔碗儿的"拿手本领。

有一回我跟一位同学和他母亲去东四牌楼东昇祥买布。同去的还有他的小弟，才三岁。掌柜的把我们迎进布铺之后，伙计就把那小弟弟抱上楼去玩了。买完布，我们上楼一看，店里有个小徒弟正陪着那小弟弟玩火车哪。原来楼上有各种玩具，都是为小顾客准备的。掌柜的想得多周到！这么一来，大人就可以安心去挑选布料啦。

去年我在德国参观一家市立图书馆。走进一间大屋子，里面全是三五岁的娃娃，一个个捧着本画儿书在乱翻。一问，原来主妇们带娃娃来看书，可以把孩子暂时撂在那里同旁的娃娃玩，有专人照看。这样，还早早地就培养起孩子们对书的爱好。想得有多妙！当时我就想起了东昇祥来。

现在搬个家可难啦。有机关的还可以借辆卡车，来几位战友儿帮忙。没机关的可就苦啦。以前有专门包搬家的。包，就是事先估好了一共需要多少钱；另外，包也就是保你样样安全运到。家主只在新居里指指点点：这张桌子摆这儿，床摆那儿。搬完儿，连个花盆也砸不了。

那时候要是不怕费事，走远点儿可以按批发价钱买点儿便宜货。我就常蹬车去果子市买水果，比铺子里按零售价便宜多了，但稍有不慎也会上当。

1983年在美国，有一天我们郊游路过一农家蜜瓜农场。文洁若花一美元买了三个大瓜。回来我们一合计，在超级市场一元钱也买不到半个瓜。我就想，在水果蔬菜旺季，要是北京也鼓励人到产地去买，不是可以减少些运输的压力，对买主也更实惠吗？

每逢在国外看到跳蚤市场，我就想北京德胜门晓市。那是个专卖旧货的地方。据说有些东西是偷来的黑货。晓市天不亮就开张，所以容易销赃。我可在那儿上过几回当。一次买了双皮鞋，没花几个钱，还擦得倍儿亮。可买回穿上没走两步，就裂口啦。原来裂缝儿是用浆糊或泥巴填平，然后擦上鞋油的！

我最怀念的，当然是旧书摊了。隆福寺、琉璃厂——特别是年下的厂甸。我卖过书，买过书，也站着看过不少书，那是知识分子互通有无的场所。50年代，巴金一到北京，我常陪他逛东安市场旧书店。他家那七十几架书（可能大都进了北图）有很大一部分是那么买的呢。

我希望有一天北京又有了旧书摊，就是那种不用介绍信，不必拿户口本就进得去的地方。

七　布局和街名

世界上像北京设计得这么方方正正、匀匀称称的城市，还没见过。因为住惯了这样布局齐整得几乎像棋盘似的地方，一去外省，老是迷路转向。瞧，这儿以紫禁城（故宫）为中心，九门对称，前有天安，后有地安，东西便门就相当于足球场上踢角球的位置。北城有钟、鼓二楼，四面是天、地、日、月四坛。街道则东单西单、南北池子。全城街道就没几条斜的，所以少数几条全叫出名来了：樱桃斜街，李铁拐斜街，鼓楼旁边儿有个烟袋斜街。胡同呢，有些也挨着个儿编号；头条、二条一直到十二条。可又不像纽约那样，上百条地傻编。北京编到十二条，觉得差不离儿，就不往下编了，给它叫起名字来。什么香饵胡同呀，石雀胡同呀，都起得十分别致。

当然，外省也有好听的地名。像上海二马路那个卖烧饼油条的"耳朵眼儿"，伦敦古城至今还有条挺窄又不长的"针线胡同"。可这样有趣儿的街名都只是一个半个的。北京城到处都是这样形象化的地名儿，特别是按地形取的，什么九道湾呀，竹竿巷呀，月牙、扁担呀。比方说，东单有条胡同，头儿上稍微弯了点儿，就叫羊尾巴胡同。多么生动、富于想象啊！

我顺小儿喜欢琢磨北京胡同的名儿，越琢磨越觉得当初这座城市的设计者真了不起。不但全局布置得匀称，关系到居民生活的城内设计也十分周密，井井有条。瞧，东四有个猪市，西四就来个羊市。南城有花市、蒜市，北城就有灯市和鸽子市。看来那时候北京城的商业网点很有点儿像个大百货公司，各有分工。紧挨着羊市大街就是羊肉胡同。是一条生产线呀，这边儿宰了那边儿卖，多合理！我上中学时候，猪市大街夜里还真的宰猪。我被侦缉队抓去在报房胡同蹲拘留所的时候，就通宵地听过猪嗞嗞儿叫。

因为是京城，不少胡同当时都是衙门所在地，文的像太仆寺，武的像火药局、兵马司。还有管考举人的贡院、练兵的校场；还有掌管谷粮的海运仓和禄米仓，我眼下住的地方就离从前的"刑部街"不远。多少仁人志士大概就在那儿给判去流放或者判处死刑的。

有些胡同以寺庙为名，像白衣庵、老君堂、观音寺、舍饭寺。其中，有些庙至今仍在，像白塔寺和柏林寺。

有些胡同名儿还表现着当时社会各阶层的身份：像霞公府、恭王府，大概就住过皇亲国戚；王大人、马大人必然是些大官儿，然后才轮到一些大户人家，像史家呀、魏家呀。

那时候，北京城里必然有不少作坊，手艺人相当集中。工人不像现在，家住三里河，上班可能在通州！那时候都住在附近，像方砖厂、盔甲厂、铁匠营。作坊之外，还有规模更大、工艺更高的厂子：琉璃厂必然曾制造过大量的各色琉璃瓦，鼓楼旁边的"铸钟厂"一定是那时候的"首钢"，外加工艺美术。

有些很平常的地名儿，来历并不平常。拿府右街的达子营来说吧。据说乾隆把香妃从新疆接回来之后，她成天愁眉不展，什么荣华富贵也解不了她的乡愁。那时候皇帝办事可真便当！他居然就在皇城外头搭了这么个地方，带有浓厚的维族色彩。香妃一想家，就请她站在皇城上眺望。也不知道那个"人工故乡"，可曾解了她的乡愁！

民国初年袁世凯就是在北京城这里搞起的假共和，所以北京不少街名带有民国史的痕迹，特别是今天新华社总社所在的国会街。野心家袁世凯就是在那里干过种种破坏共和的勾当，曹锟也是在那儿闹过贿选。50年代初期我在口字楼工作过几年，总想知道当时的参众两院设在哪块儿，找找那时议员们以武代文，甩手杖、丢墨盒儿的遗迹。

八　花灯

节日往往最能集中地表现一个民族的习俗和欢乐。西方的圣诞、复活、感恩等节日，大多带有宗教色彩，有的也留着历史的遗迹。节日在每个人的童年回忆中，必然都占有极为特殊的位置。多么穷的家里，圣诞节也得有挂满五色小灯泡的小树。孩子们一夜醒来，袜子里总会有慈祥的北极老人送的什么礼物。圣诞凌晨，孩子们还可以到人家门前去唱歌，讨点零花。

我小时候，每年就一个节一个节地盼。五月吃上樱桃和粽子了，前额还给用雄黄画个"王"字，说是为了避五毒。纽扣上戴一串花花绿绿的玩意儿，有桑葚，有老虎什么的，都是用碎布缝的。当时还不知道那个节日同古代诗人屈原的关系。多么雅的一个节日呀！七月节就该放莲花灯了。八月节怎么穷也得吃上块月饼，兴许还弄个泥捏挂彩的兔儿爷供供。九月登高吃花糕。这个节日对漂流在外的游子最是伤感，也说明中国人的一个突出的民族特点：不忘老根儿。但最盼的，还是年下，就是现在的春节。

哪国的节日也没有咱们的春节热闹。我小时候，大商家讲究"上板"（停业）一个月。平时不放假，交通没现在方便，放了店员也回不去家。那一个月里，家在外省的累了一年，大多回去探亲了，剩下掌柜的和伙计们就关起门来使劲地敲锣打鼓。

新正欢乐的高峰，无疑是上元佳节——也叫灯节。从初十就热闹起，一直到十五。花灯可是真正的艺术品。有圆的、方的、八角的；有谁都买得起的各色纸灯笼，也有绢的、纱的和玻璃的。有富丽堂皇的宫灯，也有仿各种动物的羊灯、狮子灯；羊灯通身糊着细白穗子，脑袋还会摇撼。另外有一种官府使用的大型纸灯，名字取得别致，叫"气死风"。这种灯通身涂了桐油，糊得又特别严实，风怎么也吹不灭，所以能把风气死。

纽约第五街的霓虹灯倒也是五颜六色，有各种电子机关，变幻无穷；然而那只有商业上的宣传，没什么文化内容。北京的花灯上，就像颐和园长廊的雕梁画栋，有成套的《三国》、《水浒》或《红楼》。有些戏人儿还会耍刀耍枪。我小时最喜欢看的是走马灯。蜡烛一点，秫秸插的中轴就能转起来。守在灯旁的一个洞口往里望，它就像座旋转舞台：一下子是孙猴，转眼又出来八戒，沙和尚也跟在后边。至今我还记得一盏走马灯里出现的一个怕老婆的男人：他跪在地上，头顶蜡钎；旁边站着个梳了抓髻的小脚女人，手举木棒，一下一下地朝他头上打去。

灯，是店铺最有吸引力的广告。所以一到灯节，哪里铺子多，哪里的花灯就更热闹。

60年代初的一次春节，厂甸又开市了。而且正月十五，北海还举行了花灯晚会。当时我一边儿逛灯，一边儿就想：是呀，过去那些乌七八糟的要去掉，可像这样季节性的游乐恢复起来，岂不大可丰富一下市民的生活？

九　游乐街

说起北京的魅力来，我总觉得"吸引"这个词儿不大够。它能迷上人。著名英国作家哈罗德·艾克敦30年代在北大教过书，编译过《现代中国诗选》。1940年他在伦敦告诉我，离开北京后，他一直在交着北京寓所的房租。他不死心呀，总巴望着有回去的一天。其实，这位现年已过八旬的作家，在北京只住了短短几年，可是在他那部自传《一个审美者的回忆录》中，北京却占了很大一部分篇幅，而且是全书写得最动感情的部分。

使他迷恋的，不是某地某景，而是这座古城的整个气氛。

回想我漂流在外的那些年月，北京最使我怀念的是什么？想喝豆汁儿，吃扒糕；还有驴打滚儿，从大鼓肚铜壶里倒出的面茶和烟熏火燎的炸灌肠。这些，都是坐在露天摊子上吃的，不是在隆福寺就是在东岳庙。一想到那些风味小吃，耳旁就仿佛听到哗啦啦的风车声，听见拉洋片儿的吆喝，"脱昂昂、脱昂昂"地打着铜锣的是要猴儿或变戏法儿的。这边儿棚子里是摔跤的宝三儿，那边云里飞在说相声。再走上几步，这家茶馆里唱着京韵大鼓，那边儿评书棚子里正说着《聊斋》。卖花儿的旁边有个鸟市，地上还有几只笼子，里边关着兔子和松鼠。在我的童年，庙会是我的乐园，也是我的学堂。

近来听说有些地方修起高尔夫球场来了，比那更费钱更占地的美国迪士尼式的乐园也建了起来。我想：这是洋人家门口就可以玩到的呀，何必老远坐飞机到咱们这儿来玩？比如我爱吃炸酱面，可怎么我也犯不着去纽约吃炸酱面，不管他们做得怎么地道——还能地道过家里的？到纽约，我要吃的是他们的汉堡包。最能招徕外国旅客的，总是具有民族本色的东西，而不是硬移植过来的。

听说北京要盖食品街，这当然也是从旅游着想的。然而满足口福并不是旅游者最大的、更不是唯一的愿望，他们更想体验一下我们这里的游乐——不是跟他们那里大同小异的电影院和剧院，而是有特色的民间艺人的表演。比起烤鸭来，那将在他们心目中留下更为深刻、持久的印象。

去年，我到过德意志联邦共和国的法兰克福。老实说，论市容，现代化的大都会往往给我以"差不多"的印象，三天的勾留，使我至今仍难以忘怀的却是在美因河畔偶然碰上的一个带有狂欢节色彩的集市。魔术团在铜鼓声中表演，长凳坐下来就有西洋景可看。儿童们举着彩色气球蹦蹦跳跳，大人也戴起纸糊的尖尖的丑角小帽。我们临河找了个摊子坐下来，吃了顿刚出锅的法兰克福名产：香肠。到处是五光十色，到处是欢快的喧嚣。我望着美因河，心里在想：高度工业化的德国居然还保留着这种中古式的市集。同时又想，即使光为了吸引旅游者，北京也应有一条以曲艺和杂技为主体的游乐街呀！

十　市格

1928 年冬天，我初次离开北京，远走广东。临行，一位同学看见我当时穿的是双旧布鞋，就把他的一双皮鞋送了我，并且说："穿上吧，脚底没鞋穷半截。去南方可不能给咱们北京丢人现眼！"多少年来，我常想起他那句话：可不能给咱们北京丢人现眼。真是饱含着一个市民的荣誉感。

在美国旅游，走到一个城市，有时会有当地人士白尽义务开着自己的车来导游。1979年在费城，我就遇见过这么一位。她十分热情地陪我们游遍了市内各名胜和独立战争时期的遗迹。当我们向她表示谢意时，她意味深长地回答说："我家几代都住在这儿，我爱这个城市，为它感到自豪。我能亲自把这个伟大的城市介绍给你们，对我来说是莫大的快乐。"

1983年我去新加坡访问，参观市容的那天，年轻的胡君站在游览车驾驶台旁，手持喇叭向大家介绍说："现在大家就要看到的是新加坡共和国的城市建设。"语气间充满了自豪感。他不断指着路旁的建筑说："在英国殖民时代这原是……现在是共和国的……"从他的介绍中，我觉出这个青年对自己国家的荣誉感。

人有人格，国有国格，一座城市也该有它的市格。近来北京进行的文明语言、禁止吐痰等活动，无非就是要树立起我们这座伟大城市的高尚市格。北京确实不是座一般的城市，而是举世瞩目的历史名城，是十亿人民的第一扇橱窗，是我们这个民族有没有出息，究竟有多大出息的标志。每当公众场所敦促市民注意什么时，过去常写上"君子自重"。这是大有分量的四个字呀！

从客观上说，北京的变化确实大得惊人。这几年光居民楼盖了多少幢啊！可是我感到少数市民精神面貌的改变却大大落后于物质上的变化。就拿我所住的这幢楼来说吧，包括我们在内，不少人过去都住过大杂院，如今总算住上有起码现代化设施的楼房了。这楼从落成到现在才两年多，可是楼下的门窗早就给自行车什么的撞得七零八碎，修一回再撞破一回。上下十二层楼，本来楼道都安有电灯，偷泡子呀，拔电线呀，如今干脆成了一片黑暗世界。有人主动做了个卫生值日牌，传不上几天就没影儿了。有好心人自告奋勇打扫楼梯，刚扫完，就有专喜欢一路嗑着瓜子上楼的人，毫无心肝地把楼梯又糟踏得不像个样子。

1949 年以后，咱们这座古城也经历了一场脱胎换骨。现在看来，换骨（城市建设）固然不易，城墙得一截截地拆，大楼得一层层地盖；可脱胎（改变社会风气和市民的精神面貌）更要困难。

然而那正是市格的灵魂。

（原载《北京晚报》，1985 年 11 月 11 日至 12 月 26 日。）

冰心读了《北京城杂忆》

读了萧乾的《北京城杂忆》，他那流利而俏皮的京白，使得七十年前的北京城的色、香、味，顿时萦绕而充满了我的感官，引起我长时间的含泪的微笑！

萧乾是我小弟弟谢为楫的小学同学。他十几岁时就常到我家来玩。1926 年我从美国学习回来，那时他是北新书局的小职员，常来给我送稿费。他一面从拴在手腕上的手绢里拿出钱来，一面还悄悄地告诉我，这一版实在的印数不止三千册……此后他还在燕京大学上过学，在《大公报》当过记者。这几十年来，无论我们在国内或海外，都没有停止过通信。他算是和我相识时间最长的老朋友了。

他在《北京城杂忆》里，所谈到的七十年前北京的吃的、喝的、玩的、乐的，凡是老北京一般的孩子所能享受到的，他都满怀

眷恋地写到了。但是孩子和孩子又有不同。那时的"姑娘"和
"学生",就没有同等的权利!他和我小弟坐过的"叮当车"——
有轨电车,我就没有为了尝试而去坐过。我也没有在路边摊上吃
过东西。我在上学路上闻到最香的烤白薯和糖炒栗子,也是弟弟
们买来分给我吃的。

谈到"吆喝",至今还使我动心的,就是北京的市声!夜深
时的算命锣声,常使我怔忡不宁。而"硬面饽饽"、"猪头肉"
和"赛梨的萝卜"也往往引起我的食欲,而我只吃到"赛梨的萝
卜",也还不是自己出去买的。

谈到"街名",我很有兴趣。我童年住过的中剪子巷,我认
为一定曾是很大的剪子作坊,因为在这条巷的前后,还有"北剪子
巷"和"南剪子巷";还有我上中学时的"灯市口",上大学时的
"佟府夹道"和"盔甲厂",这都是与住户的社会身份或职业有关
的命名。这时我忽然想起在东城有紧挨着的"东厂胡同"和"奶子
府",一定是明太监魏忠贤和皇帝的奶妈客氏的宅第所在地。

谈到"游乐",我连天桥和厂甸都没去过!我只逛过隆福寺
庙会,因为它离我们家最近,是我舅舅带我去的。在人群里挤来
挤去,我什么也没看清,只在卖棕人的铜盘边流连了一会儿,看那
些戏装的武将,在盘子上旋转如飞,刀来枪往,十分有趣。

隆福寺街，给我的印象很深。一来因为我父亲常带我去那条街上买旧书。二来那条街上有一间叫"福全馆"的饭店，是海军部职工常去的地方。福全馆有一种名菜叫"萨豆腐"，因海军名宿萨镇冰将军爱吃它而出了名。福全馆里还有一座戏台，可以演堂会戏。1924年，我在美国学习，父亲来信说他的学生们为他庆祝六十大寿，在这戏台上客串了好几出戏。

总起来说，我对老北京的印象，并不像萧乾那么好，因为它和我童年住过的海阔天空的烟台、山清水秀的福州，都比不了。我在《寄小读者》通讯二十里曾写过：

> 北京只是尘土飞扬的街道，泥泞的小胡同，灰色的城墙，流汗的人力车夫的奔走。我的故乡，我的北京，是一无所有！

当然我也写了我仍热爱北京！因为这座城里住着我所宝爱的人。今天呢，大街小巷都铺上了柏油路，尘土和泥泞没有了，灰色的城墙不见了，流汗奔走的人力车夫也改行了。因此我说，我对北京的喜爱是与日俱增的。

只有一事，我和萧乾有深切的同感，就是在礼貌和语言上，现在的北京人的"文明"程度，比七十年前的北京人就低多了！

　　还有就是在招徕旅客方面，我也觉得让外国客人住四合院，吃中国饭，比让他们住上"惟妙惟肖"的洋式饭店、吃西餐，更有吸引力。君不见，到蒙古旅游的人，都喜欢住蒙古包、喝奶茶、吃羊肉么？

1985 年 12 月 27 日

（原载《北京晚报》，1986 年 1 月 6 日。）

一个北京人的呼吁

一　文明始自安全

一个城市文明不文明，可以从许多不同的角度考核。公共汽车上有无让座的风尚，地上有无痰迹，售货员对顾客礼不礼貌，路人拾金昧不昧等等。这些，每一项都可成为考核的标准。但我认为最起码的文明，是安全。

安全的范围很广。在纽约，晚十点以后就很少有人敢坐地铁了，因为夜静人稀，在车厢里或车站上，都可能遭到歹徒的抢劫甚至伤害。这样的城市，楼房再高，霓虹灯再花哨，也不文明。"文革"期间，有人劝我出门不可戴手表，说曾有坏人看中了谁的手表，就跟踪到公共厕所里，为了抢表，就用利刃把戴表的手腕剁断。

触。这里就存在着一个今昔对比问题。

十年前，编辑即便给我叩三个响头，立下字据，打下保票，高低我也不肯写，不敢写。因为这里明显地存在着一个陷阱，一顶潜在的帽子：今不如昔。好家伙，人家在"破四旧"，你却为"四旧"招魂，岂不罪该万死！

那时候，天地分阴阳，人世分无资；好就全好，坏就全坏；而且好坏全凭钦定。知识分子成了莎士比亚《驯悍记》里的凯瑟丽娜，张春桥、姚文元是手持钢鞭的彼特鲁乔。中午时晌，他们指着太阳说"这是月亮"，就得唯唯诺诺地跟着说，是月亮。那时我们宁要社会主义的稗草，也不要资本主义的大豆、高粱。那时候，笔下的今天只能是一片光明，而事实却是漆黑一团。

这十篇"杂忆"本身，无足挂齿。但我竟然写了，而且不是昧着良心，而是照我自己的意思写了，这本身也表征着像我这样一个中国知识分子的心态：我在逐渐摆脱那种非阳则阴的思想方法，不掩饰对昨天某些事物的依恋，也不怕指出今天的缺陷了。如果谈十年来中国大地所起的变化，知识分子不同程度地摆脱着那种小媳妇的战战兢兢的心情，开始学着说点真话这个变化，其重要性可不亚于那雄伟的经济建设。

从大的方面，我当然更爱今天的北京。我坐过张作霖的牢房，也见过街头的饿殍。那时候，大官儿出来要戒严，前门外有一大片人肉市场。在大的方面，新旧没的可比。所以当我眼睁睁看着我爬过的城墙和城楼给拆成平地时，我一边往心里掉眼泪儿，一边宽慰着自己说，只要能让人人都吃上饭，拆什么、怎么拆都成。

近来我又想：一个城市要赶上时代，有些东西就得忍痛牺牲掉。什刹海吃不着河鲜了，七月节也不再放荷灯。要现代化，就得扔掉些东西。然而也不能全扔光了啊！

每当我看到有人在讲卫生的横幅标语旁边照样吐痰，每当我看见人们围起来像看耍猴的那么看斗殴的，却没人出来劝解，每当我看到售货员半边笑脸对熟人，半边横脸对顾客的时候，我就诅咒那帮打着"兴无灭资"旗帜的家伙们。他们把散发着芬香的花盆砸个粉碎，把好人、能人插了招子拉到街上示众，把上千年的古物砸成烂泥，最可怕的是把人与人之间异于禽兽的那种相互体贴谦让消灭殆尽，把人间化为大林莽。

我有的只是一只秃笔，但我想用它唤回北京市民的荣誉感，唤回东方人的尊严。

1986 年 5 月 20 日于北京

（原载《北京晚报》，1986 年 6 月 2 日。）

《杂忆》的原旨

日本东洋大学今富正已教授要把《北京晚报》去年连载的《北京城杂忆》编入教材，嘱我写个前言。今年是史无前例和暗无天日的那场特大灾难结束的十周年。我正一肚子话没地方消散，就借题发挥如下。这是前言的前言吧。

像北京这样一座历史名城，可以从各种角度来写。为旅游客人，可以专谈眼下的北京：从名胜、街道到土特产。也可以就史地风物写写往日的老北京。这两种写起来虽然也不容易，可总归是就新论新，就旧论旧，下笔时不必怎么踌躇，心里可以踏实。

《北京城杂忆》不是知识性的。我是站在今天和昨天、新的和旧的北京之间，以抚今追昔的心情，来抒写我的一些怀念和感今天，生活在我们的城市里，再也不用担惊受怕了，因为威胁市民的那些"哥儿们"已经"各得其所"了。最近，马路上的秩序也大为改观。然而另外还有一种东西，不时还在威胁着市民的安全。有时是一口敞开盖子的煤气或自来水的检查井，有时是为了这样那样原因而挖的一些坑沟。周围既未用障碍物圈起，晚上当然更不会点个红灯。这些，不期然而然地对市民就形成了一种陷阱，一种威胁。

这方面的有欠文明，主要是由于市基建以及水电工程工作程序（或者说作风）的虎头蛇尾。往往检查完一个什么"井"或修完一座建筑，草草扫尾就一走了之。于是，遗下了后患。三年前，我的一位老友的快婿——优秀的青年建筑师，在南池子就为了躲马路上一堆杂土，被后边的汽车轧死了。又比如天坛刨了些坑预备种树，后来改了"点"，有的坑作废，但并不填上，有些浇树的自来水管露在地面上。玉渊潭公园有些树因故锯掉，地面还露着半尺来高的墩子。所有这些，对游人都成为"绊索"。近年来基建方面大有进步，每完成一座楼必给修条路。然而修路前并不砸夯，就慌忙把砖铺上。阴天下雨，上面下陷，砖也随之陷了下去。例如燕京饭店西侧的砖地，有一处已成凹形。我亲眼看到两个老人在那里栽了跟头。

建议市政当局像对消防那样,对各类施工人员做出规定,一定要确保市民老少行路安全。凡由于安全措施不周而造成的伤害,应准许市民控告有关方面,并要求赔偿。

一个文明的城市首先得让人们在里面走着放心,不用担惊受怕。

（原载《北京晚报》,1984年3月28日。）

二　文明小议

煞风景

你能设想在秦始皇陵兵马俑中间架起一尊迫击炮,或在周铜汉瓦旁边摆上一台录音机吗?然而这样的事正在天坛发生。 在巍峨辉煌的祈年殿前面那气派万千的方场中央,距离白玉栏杆数米处,近来一直停放着一辆橘黄色的小轿车。车身油漆剥落,车窗也已破,是用马粪纸堵着。据说放在那里的用途是:供游人站在车旁,以高峻雄浑的古建筑为背景,拍时髦照片!

看来文物名胜的保护,不仅仅是个禁止游人在墙上留名题字的问题。

"后无来者"

我最怕那种有弹簧的活动门。星期天早餐时刻,我站在附近有这种活动门的小饭馆做了一次"公德调查"。在七八分钟内,进出了二十来位顾客。大部分是把门推开,人进去后,任那扇门往后绷去,好像后边并无来者。有时里外同时对推,相持不让,最后总是弱者退了下来。一个运动员打扮的小伙子把门推到极限,门猛地绷回来。幸好后边是个中年人,他挨了一下打,也随口骂了声难听的。一个抱娃娃的妇女走上台阶,我替她捏把汗。看来她很有经验:她倒退着进门,娃娃没撞着,她背上可狠狠地挨了一下。只有一位七十开外的老婆婆,当她看见里头走出个小姑娘,手里托着同她年龄很不相称的那么一大叠油饼时,就主动替她拉开门,一面轻声宽慰她说:"姑娘,放心,我等你。"

星期天早晨如此,平时赶着上班,就不堪设想了!

圈套和陷阱

公园里或人行道旁,只要是兴建过土木的地方,就常有一截截一二尺长的"钢骨"弯弯地露出地面,活像套狼用的那种圈圈。有时看到拔掉旧树后未填的深坑,或敞着口(铁盖撂在一旁）的水表井，很像猎虎挖的那种陷阱。

我想，最起码也是最重要的"文明"应该是保障市民（包括老弱病残）生活的安全。

（原载《人民日报》,1982 年 3 月 12 日。）

三　向城市建设部门进三言

屋顶何不成花园？

可以从各种角度判断一个城市文明不文明。其中之一，是看它的市民工余是聚在剧院、公园、体育场里，还是满处遛大街。然而居民住得窄，又没处可去，就只好遛大街。

年年一到盛夏，北京通衢大道——尤其像工人体育馆那样空敞地带，夜晚必有成百上千的男女老幼蹲坐在人行道边乘凉，有的赤背，有的手摇芭蕉扇。我估计这景象可能不限于北京。我一方面同情他们是热得无可奈何，可又觉得实在有碍观瞻。

每逢我走过高层建筑群，例如前三门或复外大街，团结湖或劲松，心里总冒出个问号：为什么让那些楼顶光秃秃的（至多有座天线），而不利用一下？每幢楼的屋顶都有上百米的空间，丈量一下看，全市那么多幢楼房，该有多少千米、多少万米的空间，一年四季都那么白白空闲着——而且都是阳光最足，空气最新鲜，月色最美的地方呢！倘若拾掇拾掇，变成屋顶花园，老头儿早晨可以上去打太极，晚上可以开个茶座，打点子灯谜，举办个舞会，岂不就会减少马路上的人口，又大大丰富首都的文化生活！这么一来，还可以消除现代高层建筑的一个严重缺陷：同住一幢楼，却老死不相识，更谈不上邻里关系！

该有座北京市的博物馆了

几年前在参观芝加哥工业科学馆时，转来转去，忽然转进一个昏暗的角落，脚下踩的不再是地毯，而是坎坷不平的石板道，恍惚间仿佛来到了上海八仙桥后面的弄堂。原来那是仿照上世纪芝加哥一段街道修建的。马路两旁点的是瓦斯路灯，道旁还停着一辆旧式马车。店铺矮而简陋，好像还有位一手打着阳伞、一手提了长裙的时髦妇女正在漫步。没有图表，也不用文字说明，游人（包括当代的芝加哥小市民）心里自然就有了今昔对比。

北京城何尝不在变？今天，年轻的市民连城墙也未必见过。他们可知道民国初年街上点的是什么路灯？居民怎么买井水？粪便如何处理？花市、猪羊市、骡马市，当年是个什么样子？东四、西单还有牌楼？

当然，从民俗学的角度看老北京，也是满有意思的。光就婚丧仪仗来说，就够热闹的。阔人讲究六十四人"大杠"，穷的是"穿心杠"。喜轿前头的刀枪斧钺讲究排满半条街。还有雍和宫的"打鬼"，国子监的祭孔，以及一年到头举行的庙会，真有说不尽的热闹。

这么一座以这古老城市的政治史和社会史为内容的博物馆，不但会吸引外国旅游者，更有助于本地市民的"寻根"。

实物之外，倘若陈设些像"收租院"那样的雕塑，或国外早已流行的"蜡人"，就会更加生动逼真，引人入胜。

要有一个保修期

买块表，照例要保修一年半载。我常想问：建筑公司盖完一幢大楼，交工后保不保修？保多久？还是一交了事？

一到夏季，我们这座交工不及两年的新楼（复外二十一号）里，就怨声载道了。首先，楼上单元里一淋浴，楼下单元的墙上先是画起地图，接着灰水就淌了下来。同是窗户，少数几个有伸缩，可以开大开小（其实，至多用上不到一尺的金属柄），多数窗户是要么全开，要么全关，表现出为了省下那尺把金属柄，毫不把使用者的利益放在眼里的风格。走廊一排的"纱"窗更妙了。一共是十六扇窗户。两边各四扇安了纱窗，中间八扇不安。这么一来，走廊中间的八扇一打开，蚊蝇照样飞进，而两旁各四扇的纱窗就完全成了摆设。

楼盖完，总要验收吧。验收者则不见得是居住人。从样子看，窗户"大致"安了纱窗，有的"窗户"还可以自由伸缩。于是，字一签，工一交，就完事大吉。真正的验收者应当是第一批住进去的人。

过去不搞投标，尚且如此。今后，要靠缩短工期、降低造价来夺标，这种在细小处的偷工减料，更得严加防止了。

我建议仿照钟表业，建筑公司交工后，也得有个保修期。在这期间，楼内大小毛病须由原公司负责修理，夺标者在质量上搞小动作的，应受处罚。

（原载《北京晚报》，1984年6月21日。）

四　漫谈自选市场

称"超级市场"为"自选市场"，这是中国语言（例如同日语相比）的优越处：能根据自己的理解，把事物本质一语道破。"超级市场"的"超级"，意思有多么模糊！自选确实是超级市场的一个主要特征，而这个特征解决了商业界一个主要矛盾，即卖者嫌买者挑拣，而买者坚持既然我花钱，就得买中意的货品。另外，它还有一个特点，即是高效率。在美国，超级市场的出口（即算账的地方）均有传送带，顾客选的一大批东西，一两分钟即能结算出来。

不久前，我去三里河一家出售粮豆的自选市场。进门之后，我从一摞筐筐里拿了一只，拿时稍稍牵动了后边那只筐子，立即遭到了一位女售货员的训斥。我还看到两位女售货员打开一包油炸豆一类的食品，在一个角落里边吃边聊天。我选购完毕，拿到出口处，那位收款的女同志按了两遍算账机，也没按对数目。然后又喊来一位售货员来帮她笔算，才得出准确数目。另一次我去甘家口自选市场，那天没有几个顾客，可门口却有四五个结账的出口，有的完全闲在那里。

自选市场是首都生活中的一件新生事物，作为顾客，我们不应对它苛求。但希望商业部门不要因为国外有，咱们也得聊备一格。第一，这是一种新型的商业关系，售货员非十分必要，不要动辄干涉顾客。第二，一定要讲求效率，因为效率就是经济效益。

（原载《北京晚报》，1984年3月17日。）

五　文化夜市好

文化夜市，对，太需要了！青年们日益旺盛的求知欲需要它。文艺界的繁荣需要它。作为拥有十亿人口的国家的首都需要它。青少年们需要它，中年人和老年人也需要它。男男女女都需要它。不应让建设精神文明停留在文字号召上，这就是一个具体的有效的措施。我举双手赞成，并相信在今天美好的形势下，不久它就可以实现。这个头，首都应该带。我相信，这么好的事必然会在全国大中小城市风起云涌。

借此机会，我再提个建议：应该把旧书摊恢复起来。大多数读书人最大的乐趣是逛旧书店。那里，买者不必带介绍信，像告帮似的；卖者也不必带着户口本，把帽沿拉下来，像进当铺似的。大家都大大方方地去进行这种文化交易。愿全市主要商业区都有旧书店；不仅是几间门面的大书店，也要一间半间的，甚至搭个棚子，摆地摊。巴黎城塞纳河畔，一排全是旧书摊。文化人到了那

50

里就流连忘返。英美大学城到处是卖旧书的。在衣阿华城，最吸引我的是那家"闹鬼书屋"。那里，旧书像图书馆那样分门别类，看累了还可以坐在沙发上，有免费咖啡供应，同其他买书人坐下来聊天。

解放初期，东安市场也罢，西单商场也罢，何尝不遍地是旧书摊！我没钓过鱼，但从旧书摊上买到一本奇书的快乐，绝不小于钓到一条尺长的鲤鱼。藏书家几乎没有一位是从买新书开始的。

我希望即将出现的文化夜市为旧书摊留出一个角落。我希望爱书的待业青年出来经营书店、书棚、书摊。让我们在文化的这一主要媒介——书籍方面，互通有无，也让有些埋没的宝贝，由于有了识货者而重见天日。

（原载《光明日报》，1984年7月15日。）

六　泡

每次去×××浴池理发，总得花上大半天。16日晨，下起雨来了。心想，这日子排队的人也许会少些，何不钻一下空子！

买好牌子，拉开玻璃门一看，人果然比往日要少，但两只长凳还是坐满了顾客。站了一会儿，就轮到我坐了，坐等比站等要高上一等。

这时我数了数，男部足有七个座位，但只见一位女同志在理，她脸上好像有些浮肿，动作迟缓，有时理着半截儿就得坐下来歇一晌，有时理完一个人，拿起缸子，歉疚地对我们说："我得吃点药！"

我心里在盘算：前边还有十一个人，每个人打它十五分钟(看来这是不够的)，也得三个小时呀！我很想走。然而一路蹚雨来的，我不甘心啊！何况外面还在哗哗下着。

女部那边像是有三四位理发师，而且只有一位女顾客。有个男同志刚走进来，就被女理发师领到我们前边的一张椅子上，亲切地说："等一下我叫你。"原来女部正在理着另一位男顾客。我沉不住气了，就对后边一个同命运的人说："咱们难道不能也去女部理吗？"他朝我摇摇头，小声说："别找那个麻烦，那都是有关系的。"

于是，我们继续攀谈起来。通过他才知道男部共有十七位理发师。我说，整个男部难道就由那位像是病号的女同志一个人支撑？他说："不，说不定一会儿107号会来呢！"这样，我们就像盼救世主那样盼这位107号，几次有人推门进来，以为是他，原来只不过是来加长我们这个绝望的队伍的。

将近十点钟，进来一个细高个子，穿蓝制服的年轻人。我旁边那位知情人释然地说："啊，他就是，有盼头啦。"

只见他走到里间，先把手中的雨伞支开，然后由抽屉里取出一块布来细心地把雨伞上一块一块的雨水拭干。擦完伞，他坐下来，擦起鞋来。擦完这只又擦那只。我们二十几只眼睛直勾勾地望着他，每个人这时都有所感吧，但没人敢吭一声。

以为他该穿起白大褂干活了，才不呢！他点上了一支烟，坐在软椅上，一口口地喷起烟雾。随喷，好像还在欣赏着那烟圈儿。

哎呀，他站了起来，真的去穿白大褂了。我们自然也流露出希望来。他对镜把衣着整理了一下，绷着脸，大摇大摆地向我们走来。走过我们这排人面前时，他并没望我们一眼。我们仿佛根本不存在。一拐弯，他悠悠达达地拐到女部去了。一阵打招呼声之后，他挑了张椅子坐下来，又点上一支烟，聊了起来。

他从女部踱出来了，几乎擦着我们的膝头踱过，推开玻璃门，他站在门廊里观赏起雨中街景来了。这时，我想到 30 年代时，洪深在上海租界影院里对辱华影片情不自禁的抗议。我也想当一次英雄，但我没有当成。我刚一抬屁股，身边那位"难友"

就扯了一下我的衣襟，小声告诫我说："这年月，小青年惹不得啊！"

他从门廊踱了回来。踱到后面，又坐下来，抽了一阵子烟，才站起来，拉开抽屉，一样一样地取出他的工具：电推子和吹风器。哦，原来靠外边第一张椅子就是他的。他慢条斯理地把工具一一吹了吹，掸了掸，然后才把电线的一端塞入插销，转过身来，朝我们这一大排等待着的顾客中间最前边的一个努了努下巴，就像电影里古代酋长对奴隶的那种神态。

我小声问了问我身边的那位"行家"："这里有头儿没有？怎么也不管管？"他垂下头来，又斜过脸来说："管？以后下雨天，就连107号也不照面啦！"

（原载《北京晚报》，1984年4月24日。）

七　我总算有了间书斋

在我的概念中，书斋就是一间（不论多么小）不摆床的屋子，一个脑力工作者可以躲开一些分心的杂音——剁剁炒炒、洗洗涮涮的声音，能静下来思考的地方。在有些国家，这也许是件必需品，一个起码的条件。在房荒仍然严重的我国，不能不承认它还是一种奢侈。

大约 1956 年春间，在一时政策的照耀下，我一度忽然有过那么一小间。1949 年以来，只有那几个月里我写过几篇东西。可没多久，那小间就昙花一现地消失了。

当我在柏各庄跟十几位同命运的人们滚在一条炕上，或在咸宁同几个人合住一间用砖坯堆起来的小屋，以及后来回到北京四口人挤在窗下就是公共尿池的八平方米斗室时，我时常有这个非分之想：要是有一间一个人的工作室多好啊！

1983 年，这个梦竟然变成了现实。如今，我有了一间颇像样的书斋。它不但面积不止八平方米，还有漆得锃亮、可以摆各种纪念物的组合柜，壁上挂了朋友胡絜青、叶浅予、阿老、苗子、秦兆阳、子野、育莲的字画，以及祖光和凤霞合作的《秋艳》。真是造化啊！

但是，每当我工作累了，倒在沙发上，望着这一切，心头就总有一种不那么舒服的感觉。我想：假若把十亿人搭成个金字塔，享有一间书斋的人肯定是在塔尖上。当然，电视上也看到过农民盖的整幢整幢楼房，可是我身边的许多人，住得都不比我当年宽绰多少。一个青年评论家，在同另外几个同志睡着双层床。还有三代人挤在一间小屋里的。一位很有成就的女作家，一提房子，她就摇头皱眉。我相信他们绝不会放松自己的努力，必然也像我当年那样。把房管所的门坎都跑穿了。那时我看到的是难看的面孔，如今呢，可能和气点了，然而管理员还会朝你摊开双臂说：没有房叫我咋办？

自然，现在到处在盖房了。从统计数字看，市民平均的住房面积也在上升着。我祝愿天下有情人皆成眷属，我祝愿我的同行们个个都能有一间书斋。

到那时，我再来谈我书斋里的陈设吧。这里，我只想说，我在七十三岁上，才混上一间书斋。我希望并且相信新的一代，将会早一点有。

（原载《光明日报》，1985 年 3 月 23 日。）

欧战杂忆

开场白

　　1939 年，在我国抗战全面爆发两年之后，欧洲那边的战火也燃烧起来，我刚好从头到尾都在那里，既在后方挨过炸，又以战地记者身份跟着看过点炮火。今年 5 月 8 日是欧战停战日（VE Day）40 周年。我多想写一篇——甚至一本完整的欧战回忆录啊！但是 1939 年至 1946 年间我记的那几本日记，全毁于 1966 年 8 月那场大火了。现在硬要回忆，我只能这么东拉西扯地想到哪儿写到哪儿。既不按时间顺序，也不讲究什么蒙太奇。

乐极生悲

1945年欧战停战日那天，我正在旧金山采访。那晚，全市欢腾，人们到处都在狂舞着。记得人行道上一个完全不相识的老妈妈看到我胸前佩着联合国的徽章，就突然把我抱住，在我颊上使劲亲了一通，然后醉醺醺地对我说："这下可好啦。我的乔治快回来了，我的小杰夫也不必再去当兵啦。"一边说着，一边就扶着橱窗，晃晃悠悠地踱去。

我目送着她那背影，仿佛望到了一颗饱经忧患的母亲的心。可那天，我还欢不起来，因为半个中国还沦陷着，亚洲东部还在冒着浓烈的硝烟。但我能理解他们的狂欢。

那天晚上，从广播中听到一个十分不幸的消息，加拿大东海岸哈利法克斯市的居民，狂欢得过了头，一些醉鬼竟然闹起事来。混乱中，十几个人被踩死。真所谓乐极生悲，死得可太惨太冤了。

人逢特大喜讯，往往不能自持。不但西方人如此，前些年我就听说国内有人在知道自己的问题得到改正或平反的消息后，一兴奋，心脏病犯了，就倒下来断了气，确实令人遗憾。

棋子

倘若不是当时的香港《大公报》胡霖社长的坚持，1939 年我很可能就不去英国了。

伦敦大学东方学院聘请信中的条件太苛刻了：年俸才二百五十镑，还要交一大笔所得税，路费得自筹，而且合同只订一年。即便我能借到那笔旅费，满了一年万一合同不续订，我不也得背一屁股的债，哪辈子才能还清！去过英国的朋友那时都劝我去不得，还是在家吃馒头吧，那面包吃起来太玄乎。

不知怎地，胡霖听说英国人请我这件事了。他把我叫到二楼那小间办公室去，满口答应我：旅费由报馆先给你垫上，以后用通讯来还嘛。可多么不巧，半夜里那笔旅费又被贼偷去了。我急得满头大汗，心想：这下可真去不成了。他却神色泰然地说：叫财务科再给你补上一份。对于赴英这件事，他比我急切多了。

临走时，他对我说：欧战是打定了。报馆要你去，就是在那里先放上颗棋子。我听了，当时很不是滋味。嗬，拿我当棋子！日后才认识到，搞事业就得像一名棋手那么精明，要干着今天，想着明天。

其实，照常规来说，他不但不会鼓励我出去，而且还会留难一番呢。《大公报》一向重视副刊。我一走，要撂下个不小的摊子。但他着眼在大的方面。

在由谁来接替我管副刊的问题上，他又表现出少有的远见。馆内上层几大金刚当时嘱意的是一位教授。我坚决推荐的是杨刚。为这件事，报馆里争论很大。因为不知是谁告诉他们，杨刚是共产党。

胡最初举棋不定。我向他分析杨刚如何能干，如何胜任；馆内上层却提醒他杨刚入馆会影响报馆在国共之间"不偏不倚"的地位。

记得最后一次同他谈此事时，我只说了句：倘若把那位教授请来，会失去刊物目前的大部分写稿人和读者，刊物必然又恢复到吴宓主编时的学院派老样子，哪里还像一份抗战时期的报纸！在上海时他曾对我说过，《大公报》的文艺副刊就是为了吸引青年读者的。我这个警告大概对他起了决定性作用。第二天，他对我说，给杨刚打电报，请她马上来。

1943年他参加访英团，特意到剑桥来，劝我放弃学位去当战地记者。他还对我说，杨刚可真是一把能手。她不但能编副刊，还经常跑战地，是个很在行的军事专家呢。

搞报馆，搞什么，都需要点远见，包括克服政治上的成见。短见（时髦术语是"本位主义"吧）对事业最是不利。把人当棋子并不一定就坏。那样，在用人上就会有个全局观点了。

海员

在持续六年的反法西斯战争中，英国商船队的功绩并不亚于海军。它保证了岛国上几千万居民不致饿肚皮，同时，还向北非等战场运送军需。商船队是抵抗纳粹运动中的大动脉。船队经年累月地在海上同纳粹潜艇搏斗，伤亡也很惨重。以中国海员来说，仅利物浦一个港口，那时就有十万中国海员，其中十分之一都葬身海底。说来这也是我们对欧洲那场大战的贡献。

我曾几次赴利物浦，访问那里的中国海员。他们大都是在船底添煤的火夫，船一旦被纳粹潜艇的鱼雷击中，生还的希望最小。那时纳粹的鱼雷也不断翻新，如磁性鱼雷的发明就很厉害，它能从水下追逐上面行驶的船只。

那些海员个个都有一本血泪史。他们几乎都是通过中国沿海码头上一些把头（相当于人贩子）上的船。开头一两年，每月都得从工资中拿出可观的数目去孝敬把头。

　　海员等候就业期间，把头还动不动就殴打，有个海员就这样活活被打死。那个海员年幼的儿子当时小小心坎上燃起怒火，立志长大后要替父报仇。为此，他也当上了海员，到处跟踪那个把头。1942 年的一天，他终于在利物浦找到了当年杀害他父亲的那个凶手——这时已当上了海员俱乐部的负责人。他就佯说有要事同那个凶手谈。他们是在会客厅里见的面。我赶去时，看到会客厅的墙上还满是血迹。原来会见时，他掏出一把尖刀，攘进了冤家的胸膛。记得有一家英国报纸评论此事时，还替复仇者讲话，提到了中国人讲求孝道的民族美德。

　　另一次，我访问一位林姓粤籍海员。他持有海上遇难后，乘筏子漂浮最久的世界纪录。他的船是在葡萄牙海面亚速尔群岛附近被纳粹鱼雷击沉的，在海上漂了将近一百八十天，才在巴西海面上被飞机偶然发现遇救。他告诉我，最关键的一点是不论多么渴，也不能喝海水。筏子上起先还有两个欧籍船员，他们就是因为喝了海水，不出几天就相继死去。他则一面咬牙不喝海水，一面又琢磨出个窍门——他学会了从鱼腹的尿泡中吮水来止渴。孑然一身，白天晒，夜里冻，随着波涛忽上忽下地颠簸，始终也不放弃生望，这是怎样坚强的生命意志啊！

　　几年前听到一位朋友 50 年代初期在政治生活中遇了难，一下子茶淀劳教，一下子去江西劳改；有时单独监禁，有时甚至上了手铐脚镣。但他始终相信自己的无辜，始终相信有昭雪的一天——而且，果真终于昭了雪。当时我就联想起在海上遇难的那位坚忍不拔的海员，同时想到：我们这个民族有一种可贵的气质，或者说品质，就是经得起摔打，逆境中能保持乐观，咬牙到底。

旅途

我是 1939 年 8 月 31 日在九龙登上开往马赛的客轮"阿拉米斯"号的。去买票的那天，船公司挤满了人——但几乎都是退票的。那时的欧洲，真可说是战云密布。记得杨刚送我上船那天早上，报上已登出华沙被炸的消息，一条颇为豪华的客轮空空荡荡。船上的欧籍乘客，一个个垂头丧气。

起航的第三天，就听到了英法相继对德国宣战的消息，船仿佛是笔直朝着一片熊熊烈火驶去。

刚到西贡，那条船就被法国海军征用了。我们在那块殖民地当了七天的囚徒。后来公司另派了一条船把我们接走。开到新加坡，大部分中国旅客都改变了主意，不想再往西走了。只剩下两个中国旅客还硬着头皮继续西行：一个是我，另一个是在荷兰阿姆斯特丹开饭馆的老板。我们都各自有骑虎难下的原因。他要是不回荷兰，饭馆交给谁？我当时的考虑很简单：回香港，那双份旅费我拿什么来赔？

生活中，有些决定是客观因素促成的，事后也大可不必来冒充英雄。当时，我就像个在山洞里朝前摸索的盲人，一点也不知道"未来"这只葫芦里卖的是什么药。

讲起来，在茫茫大海中，只有我们两个是黄皮肤的，理应特别亲热才是。然而不是那么回事。一路上，每逢船靠码头，我们少不得都要上去走走。但是我们的兴趣太不同了。最可笑的是我们两人在巴黎分手的情况。他不知去过多少趟巴黎了，而我却是头一遭。一到巴黎，他就热心地要充当我的向导。他带我去了大百货公司，还要带我去玻璃房子（妓馆）。我拒绝了。我想请他领我去巴黎圣母院，去国家歌剧院。他说他可从来也没听说过这个圣母院在哪儿。我们一路上用结结巴巴的法语向人打听，好不容易才摸到那座我在书中读到过的大教堂。他说，那有啥看头？他不肯进去。非要站在教堂大门外头等，并嘱咐我进去探探头就出来。

我是平生第一次见到那么庄严肃穆、那么巍峨动人的西洋建筑呢。一踏进教堂，我好像就步入了中古的欧洲。我只顾出神地欣赏那些精雕细琢的石像，嗅着那香中带点发霉的气味，一下子忘记了时间，更忘记了等在门外的伙伴。等我走出圣母院时，那位老兄早已不见了踪影。

我一直后悔事先没向他要荷兰的通讯地址。共过一个多月患难的旅伴，临了就这么不辞而别，真令人怅然。

每逢听到谁的婚姻由于双方生活旨趣不同而触礁时，我就想起我那位旅伴。要是兴趣、生活方式合不来，而又非得在一起生活不可，那真是苦事。

身份

从法国西北角的加莱港上船，跨过波涛汹涌的英吉利海峡，就来到以雪白峭壁闻名于世的多佛港——由法入英境的主要港口。

在移民局前排队时，我才发现大部分旅客都是听到战讯，中断了在大陆上的度假，赶回老家的。唯独我这个东方人，却是前来要在战火中执教鞭的。战局当时虽然还很沉寂——史学家通称那段日子为"莫名其妙的战争"，但英国毕竟不能不考虑到，今后的日子怎么过呢？一个食物不能自给的岛国，平时靠着老大帝国的派头，什么都从殖民地运来。如今，有的商船征为军用了，能用于海上运输的也得去冒挨潜艇鱼雷炸沉的风险。哪能再让外国人入境呢！所以当那位移民局官员皱起眉头来回翻着我的护照，犹豫不决时，我一点也不怪他。然而我的护照里又明明夹着伦敦大学发给我的聘书，老远来了，拒绝我上岸总说不过去。英国人真会折衷，他终于还是在我的护照上打了个大图章，旁边注上："暂准入境两月，以后如何，请内务部裁夺。"就这样，他把矛盾上交了。

后来，那两个月就变成了七年。

我至今不解，何以我——以及所有那时旅英的中国人，都被划为"敌性外侨"。有人向我解释说，加了这么个"性"字，可大大不同了。没有那个字，就得进拘留营里。然而作为"敌性外侨"，晚上六点以后就不许出门，不许到离海岸三英里的地方去——因而我始终没能见到我仰慕多年的女作家吴尔芙夫人。她那时住在南海岸的苏塞克斯郡。等我的身份随着珍珠港事变而改变了时，她已投河自尽了。我是在她死后九个月才去她的故居的，由她的丈夫陪同，到曾经结束了这位卓绝艺术家的生命的那条河去凭吊。

谈起身份改变，来得也真是突然。珍珠港事变的第二天，英美忽然发现原来中国老早就在极其艰苦的情况下，同东方的法西斯作战了。一夜之间，我就从一个"敌性外侨"变为"伟大盟邦的公民"了。

那天坐在公共汽车上，我忽然感到后颈上一股酒臭气。一个中年乘客在我耳际大声嚷着："嗨，你押错了宝！你押错了宝！"我猛地意识到，他是把我当成日本人了，就回过头去向他解释说："先生，你弄错了，我是中国人！"

这个醉鬼听了，马上挪到前边来，紧贴在我身边坐下。他至少也喝了大半瓶威士忌，满脸通红，额上青筋凸起。他不是军人，可先向我敬了个礼，然后扯着嗓门嚷道："啊，中国，孔夫子的中国！"说完，就硬要我同他握手。

接着他又嚷："啊，中国，发明了火箭的中国！"话音未落，又抓住我的手，死死握了一通。

他滴溜溜地转着眼睛，看来是在搜索枯肠地想着有关中国的名堂。"啊，中国，万里长城的中国！"随后，又抓住了我的手。

……

看得出，他是要无止无休地这么搞下去了，而那股冲向我的浓重酒气快使我窒息了。我赶快在下一站提前下了车。

然而我不能不佩服那位醉鬼知识之渊博。

配给

去警察局报到后，立刻就领到食物和衣服的配给证。

英法两国虽是紧邻，在战时配给上，却各有特点。即便在那样艰苦的时刻，法国的配给也包括一瓶红酒和几两咖啡——事实上，真咖啡早已绝迹，发的是把橡籽儿烤焦后磨成的末末。英国的配给没有咖啡，也没有酒，却有茶和糖。茶是锡兰（即今斯里兰卡）出的那种涩得要命的黑茶，所以非放糖不可。

英国人不但讲究每天下午四点吃茶，而且还喜欢轮流举行茶会。开战以来，尽管茶和糖都实行配给了，茶会还是照常举行。这也是一种对希特勒的挑战吧。几乎每个星期我都得赴一两次茶会。最常去的是研究中国科学史的李约瑟家和20年代曾访问过我国的哲学家罗素那儿。那时，去赴酒会，总设法买上一瓶酒带去。赴茶会则带上一小包糖和一小包茶叶。主人收下时，照例说一声："你想得真周到。"

后来当了随军记者，在战地上经常发一种"K配给"。我始终不知道K这个字母代表什么，反正它很像今天在飞机里发的那种餐盒，里面有饼干、巧克力，还有香烟。1944年巴黎解放后，我请友人钱能欣夫妇去歌剧院看表演，每个人膝头上就各放了那么一匣"K配给"。

听说近些年来，英国大抓农产品自给了，鸡蛋甚至还出口。甩掉了"大英帝国"这个包袱后，英国也自力更生起来。当帝国还未解体时，英国人吃的大多靠海外。去副食品商店买鸡蛋时，店员会问：要爱尔兰的，丹麦的，还是中国的？牛油和干酪，不是来自加拿大，就是新西兰。英国人喜欢草坪。在苏格兰内地旅行，有时一整座山都归私人所有，而且尽管打仗，草坪上什么也不种。在德国潜艇闹得最凶，也就是英国商船被击沉的比率最高时，丘吉尔亲自抓战时农业了，特意在距唐宁街十号一箭之遥的议会方场中央种起土豆，作为一种提倡。

其实，战时食物配给只迫使下层社会勒紧了裤带，真正有钱的人在高级餐馆里照样什么都能吃到。每次去伦敦，我总到中国饭馆去饱餐一顿。老板一见是自己同胞，也格外照顾。我坐下来就对服务员说，来吧，什么肉多，给我来什么。

平时，一个月也吃不上一斤肉。天天是鳕鱼，都吃怕了。

1945年3月，我同一批外国记者乘护航轮跨过大西洋，去旧金山采访联合国大会。一上岸，我们都一溜烟儿钻进最近的餐馆。我记得摆在我盘子里的那块猪排，简直像砖头一样厚。一边狼吞虎咽地嚼着，一边赞赏，恰似一群灾民。

从加拿大一路吃起，芝加哥、盐湖城，走到哪里，吃到哪里，恨不得一下子解了六年的馋。到旧金山时，肚子里就厚厚地有了层油水。在宴会上，又文雅得像个绅士了。

轰炸

在伦敦我经历了大规模的轰炸。

开战后，我任教的伦敦大学东方学院立即疏散到剑桥基督学院去了。那时，战争确实有点莫名其妙。西线一点动静也没有。法国士兵还在马奇诺战壕旁种起玫瑰呢。不断谣传说：就要停战了。

1940年6月，伦敦大学搬回了伦敦。那年春夏之交，希特勒的坦克部队长驱直下，已经占领了整个西海岸。至今我也不理解大学里那些书呆子当时是怎么考虑的。反正搬回伦敦没多久，大轰炸就开始了。纳粹那时搞的是"饱和式轰炸"。一个晚上就派来几千架次。像英国中部的考文垂，一夜之间几乎被夷为平地。

那时我住在伦敦西北郊一家公寓里。老板娘和英国首相同姓，我们称她作丘吉尔太太。当时在伦敦找个接纳"有色人种"

的公寓还真不大容易，丘太太的公寓里住的全是亚洲人。有三四个中国来的，有个学提琴的锡兰姑娘，还有一个从新加坡来的印度青年拉贾拉南——后来当了新加坡主管外交的副总理。听见警报，我们来得及，就到附近地铁站台上去过夜。如果来不及，也就是说，警报一放，周围高射炮立即响起，说明敌机已临上空，我们就只好立刻就地隐蔽。1983 年去新加坡，与拉贾拉南旧友重逢，他还同我一道追忆往事。那时，我俩同住一层楼，有时躲在同一张饭桌底下。其实，要是命中了，躲到哪里也是白搭。我们躲的主要是爆炸后四下飞起的、比刀子还锋利的碎玻璃碴。

有一回，我到著名的社会改革家佛莱女士家去度周末。她住在离伦敦足有四十英里的艾利斯伯莱，属白金汉郡，满以为可以睡一宿好觉。汽车到达后，我看到周围十分空旷，还有座小山。可是天一黑，敌机却轮番不停地轰炸，而且离我住的地方很近，所以震耳欲聋。就这样，一直闹到天明。后来才知道，英国人在山麓下搭了座假工厂，故意露点亮光。于是，敌机就把山坡当作轰炸的重点。

1944 年 6 月初，希特勒搬出他的"秘密武器"了。先是飞弹，也叫作 VI，其实就是现在的导弹。以后又来过些火箭，叫 VII，据说是由挪威山里发射到上空六七十公里后，落到预定地点才爆炸的。这两者不但没为他赢得战争，甚至也没能推迟第二战场的开辟。我同 VII 没打过交道。然而有一阵子，飞弹的威胁要比 1940 年的大轰炸更为严重。

当时，伦敦的空防主要靠高射炮、气球和战斗机。1940 年，纳粹轰炸机白天还不敢来袭，飞弹则昼夜不停地来。一则它里头没有人，二则它造价低，据说一架战斗机的钱可以造几十颗飞弹。那一阵子，伦敦满天都是这种凶恶玩意儿。我们常站在高坡上看，就像一群群大雁似的。它先是在天空一打转，然后扎下来，落地就爆炸，破坏力相当大。1940 年大轰炸中幸免的一些建筑，却被飞弹炸中了。

伦敦居民对这玩意儿有些怕，可又好奇。最初，不少人都驻足观看，等它在天空一打转，再找地方掩蔽。希特勒也真会开玩笑。后来，他把飞弹的规律改了：它在天空打个转儿之后，接着又往前飞去，指不定几个回合才往下落。

我住的地方挨过炸，但当时我早下地铁了。只有一次，我到别人家去度周末，主人夫妇出去赴晚宴，留我看家，刚刚上床，就放了警报，敌机随即飞临上空。我穿着睡衣就连忙躲到底层楼梯下面。只听见那幢三层小楼一声巨响，原来它中了烧夷弹。顿时楼上一片火光，四下里黑烟弥漫，令人窒息。

在浓烟中，我被民间自行组织的救护队员背出火场，一直送
到附近的救护站。

在惊恐中，我喝到一生最美味的一杯热可可。

友情

大轰炸中，朋友之间的交往并未中断。

那时，我住在汉姆斯台德一幢四层楼公寓的地窖子里。那间
房子足有四十来平方米，一头是床，另一头算是起居室。我的伴
侣是一位希腊朋友送的一只猫，叫瑞雅——就是1957年被人编造
成神话的那只。

有一天，听到叩门声。原来《印度之旅》的作者 E·M·福斯特
来看我了。他也爱猫。他家那只叫汤姆。一进门，他就饶有风趣
地说：

"我代表汤姆看望瑞雅来了。"接着，他打开一个手帕包，
里面是一点猫食。

战争期间，连猫食也缺了，市场上出现一种"人造猫食"，看
起来有点像咱们的麻碴子。那天福斯特为我的瑞雅带来的，正是
这种"新产品"。我当然立刻把瑞雅抱过来说："瞧，福斯特先生

老远给你带来汤姆的礼物，快来尝尝吧！"

岂料我那只猫胃口很刁。它先抬头望望微笑着的福斯特，像是赏脸似的弯下身，把鼻孔凑近礼物闻了闻，然后扭头不屑地踱开了。

这可使我狼狈了。福斯特心里大概也不那么对劲。他还是很体贴地说："瑞雅恐怕还不习惯。也许等我走了，它就会吃了"。我连忙说，想必是如此。

我去剑桥王家学院作研究生，就是福斯特和英国汉学家阿瑟·魏理二位推荐的。他们都是那个学院的校友。

魏理的中文真可以说是自学的。他告诉我，20年代丁文江赴德国路过伦敦时，曾教了他十几天中文。那时魏理在英国博物馆负责保管中国图章。打那以后，他就动手翻译中国古典文学，从四书、老庄、唐诗——特别是白居易，到《红楼梦》。他还译过日本的《源氏物语》和《枕草子》。

打仗的时候，像他那样过了兵役年龄的自由职业者，照样也得为战争服务。他供职新闻部，负责检查中文信件。因此，那时我给《大公报》写的大量通讯，都经他检查过。

文人显然不大会保密。他时常露馅。有一次他对我说："昨天你那篇文章，头上可给我剪掉了。"更糟的是，他在英国一份

74

重要文艺刊物《地平线》上，发表了一首"仿中国诗体并赠萧乾"的诗，题名《检查》。经过十年动乱，我那本《地平线》，自然早已不存在了。

1979 年访美时，在聂华苓家看到那年 10 月 11 日的台湾《联合报》，副刊上登着香港中文大学余光中教授的译文。诗曰：

> 我做了检查官一年又三个月，
>
> 办公的大楼已四度被炸；
>
> 窗上的玻璃、木板、糊纸，
>
> 依次被炸碎，只剩下残框。
>
> 洗澡、保暖、炊食都困难，
>
> 有时更短缺煤气和水电。
>
> 检查官的守则难以奉行，
>
> 半年之中竟有一千条"作废"。
>
> 空袭法规逐日在变更，
>
> 官方的命令也颁得不分明。
>
> 可以提海罗，不可提德黎跟汤姆；
>
> 可以说起雾，不可以说下雨。
>
> 薄纸上乱涂一气的日本，

字迹潦草，读来真伤眼。

一间斗室装十架电话，

和一架录音机，我怎能专心？

用蓝笔删改不过是儿戏，

卷宗的纠结并不太难解。

外国的新闻也不难检查，

难的是检查我今日的心事，

——

难的是坐视盲人骑瞎马，

向无底的深渊闯去。

译者余光中在注释中说："魏理诗末用了《世说新语》的危言来形容欧洲的局势，盲人骑瞎马可以指希特勒，也可以泛指人类。"

今天读来，觉得它不但透露了一个检查官的矛盾心境，也描绘了当时伦敦政府部门在大轰炸中的景象。

战时广播

战争一开始，大概是为了防空的原因吧，英国立刻就把电视停了，然而广播却一直也没有停过，而且由于灯火管制，很多人夜晚不大出门了，收听率大大高出平时。

那时英国的广播电台除新闻之外，有几个特别受欢迎的节目。一个是"广播大夫"，是固定由一个人来播的。他语调亲切，声音沉着老成，而且富于风趣。估计实际上有个医生小组负责研究听众提出的问题，由这个人来作答。

还有个节目叫"智囊团"，每周一次。参加者有教授、记者、议员等，大多是全国知名人士。由主持人提问，然后一一作答，办法类似学生口试。问题事先概不透露，考的是机智和知识面。因属突然袭击，经常出现十分有趣的局面。座中有位哲学家，找到了个窍门：他专好编造一些妙句，硬作为引自我国孔子。反正也没有汉学家在场，无从对质，只好随他去了。

节目中收听率最高的，还是丘吉尔首相每星期一晚上向全英国人民谈话。讲稿估计是出自高手，他本人又耍过笔杆。每次都从战局谈到家常，亲切、幽默、娓娓动听，有时还十分感人，是最好的战时动员。后来罗斯福总统也采用了这个同广大民众促膝谈心的方式。记得他的讲话是放在星期五，节目就叫《炉畔恳谈》。

英国人在战时，还收听另外一种广播：纳粹德国为了瓦解英国人心，由一个投敌分子威廉·齐伊思用英语来播。他自称是哈哈贵族，语调尖酸，声音可憎。英国政府从未禁止收听那个敌台。收听的人越听，越对纳粹一伙加深仇恨。声音是哈哈贵族的，内容和语调显然是戈培尔的。

亡国恨

我很幸运，生平没在沦陷区呆过一天，可是柏林攻克后，我却目睹了战败德国的惨状。

一开进德境，联军最高统帅部就下了一道命令：不许与敌国人有任何交往，违者一律以军法惩处。那时，在部队路过的休整站上，服务员照例都是些德国战俘。他们穿的仍旧是希特勒发给他们的墨绿色军服，只是去掉了标志军级的章。当他们毕恭毕敬地端上咖啡时，我们倒想问问他们是几个星的将军呢！

当然，没人敢那么问，甚至也不敢正眼望望殷勤地替我们服务的人，因为到处都写着："无论战俘为你做什么，一律不准道谢。"这实际上大大违反西方社会的习惯。那里，每个人一天五十声"谢谢"也打不住。如今，硬得把"谢"字咽了回去。

我心想，战火又不是这些战俘放的，何必拿他们撒气！所以当一名战俘弯下腰去替我擦完皮鞋之后，我总用眼睛朝他表示一下谢意。

波茨坦会议之前，我们暂时驻扎在柏林西南郊兹林道夫一个老百姓家里。现在回想起来，说不定屋主还是一位卓绝的艺术家呢！一回我上厕所，一个身材矮小、留着络腮胡子的中年男子鬼鬼祟祟地尾随进去。他偷偷地从上衣前襟里掏出一小幅水彩画，画的仿佛是湖景。他用蹩脚的英语吞吞吐吐地问我，可不可以换给他点香烟（战后一个时期，美国香烟几乎是西欧的通用币）。

画，我只瞟了一眼，没敢接；香烟，尽我身上带的十几支，悄悄地全递给了他，就赶紧走去了。

去秋我重访联邦德国时，在慕尼黑看到揭露纳粹的展览会。我思忖道：德国人恨希特勒，应该不在他人之下。一个自尊心那么强的民族，一时间竟沦为亡国奴，他们怎能不恨！

然而当年德国人也真挺得住。在被轰炸过的柏林街道上，我看到男男女女整齐地排成长队。他们不是在抢购什么短俏物资，而是在把烧焦了的砖头一块块地从废墟上递出来。我望着他们那严肃认真的面孔，心里说：这个民族是亡不了的。

1985 年 4 月

（原载《北京晚报》，1985 年 5 月。）

"文革"杂忆

山雨欲来

仿佛刚开完春风烂漫的神仙会，远处又雷声滚滚了。真是树欲静而风不止啊！敌人可真猖狂，竟然在团中央机关刊物的封底一幅水彩画上玩起花样！孩子说，那水纹清清楚楚地写着"反动派万岁"。其实，我翻过来掉过去，始终也没看出什么字样。而且，反动派咋会叫起自己"反动派"来呢？可孩子说，这是警惕性特高的"中央首长"发现的。认不认出来，就看自己对中央首长的感情了。这么一来，我只好说，看见了，看见了。

接着，孩子回家又传出：火柴盒上也出现了反动标语。还有，那个挺好听的《红旗颂》唱不得了，原来它的主旋律是"满洲国国歌"，唱了就等于颂扬王道乐土！

接着，1958 年印行的几部长篇也像多米诺骨牌一样，一本接一本地倒了下来。有反党的，有反社会主义的，有反人民的。罪名乍看起来并不雷同，但都够进毒草行列的。

早晨一上班，就接到通知：不办公了，全体去看电影《早春二月》，而且说明有人在影院门口点名，不准请假！看完了立刻回单位分组开会，支书主持，人事科小徐做记录。每人都必须发言，要作为反修坚不坚决的一次考验。

江南小桥流水，本来挺开心的一部片子。这么一来，看电影真是活受罪！

院子里，西屋老太太跟闺女吵起来了。照理，闺女应该好打扮。如今，掉过来了！老太太给闺女做了件连衣裙，要她把那件打了三块补钉的裙子换下来，姑娘死也不肯，还朝老太太嚷：我这里学雷锋，您倒好，扯我后腿！您忍心害自己的闺女当个修正主义分子吗？

老太太是家庭妇女，不像干部那么天天读，不了解天下大势，更不理解女儿谈"修"色变的心情。其实何止一件连衣裙，一切美好的东西，从文物字画到花花草草，都早已成了修正主义的标志了。

中国要成为世界革命的强大中心堡垒，靠什么？靠人人争做向阳花。怎奈中国是个枝杈茂密的大灌木丛。要靠小将们披荆斩棘，把千枝万条全砍光，砍得神州大地只剩下一朵朵光杆儿的向阳花。

集训班

我总觉得1966年开始的那场灾难，起初有点神出鬼没。一下子批三名三高，一下子又找起戏剧电影的碴儿。它就像太平洋一股超级龙卷风，在汪洋大海上来回转悠。当时像我这样反正准备挨斗的，心里固然紧张；就是摩拳擦掌准备斗人的，心里也未必有个谱儿。

6月就糊里糊涂地进了个集训班。学员足有七百：唱戏的，画画的，作曲的，真是人才济济，应有尽有。说明都是"黑线人物"，为了"背靠背"才把我们同革命群众隔离开。可进去之后，最初倒更像个夏令营：床铺干净，饭食可口，晚上还有电影看。不许出大门，可周末又有大轿车接回城同家人团聚。上下午开会学习也是一片和风细雨。大家都使劲抖落身上的"修"菌。大会斗重点对象时，有些小演员数落起大干部，也相当于一挺轻机关枪。然而《十六条》写得明明白白：要文斗不要武斗。所以心里是踏实的。

进入 7 月，集训班有点异样了。一天，集训班的一位学员从三楼甩下一条特大的大字报："打倒大叛徒某某"，而这位某某正是贴者的乃父，他们父子同是集训班的学员。这一大义灭亲之举自然引起轰动。更使人惊奇的是，那位某某安详地扇着一把大折扇，也站在那里同我们一道看，没发一点火。我捉摸起他那份平宁：一、他心里也许明白揭的并非事实；二呢，他也许想，孩子这么一划清界限，今后日子会好过些了吧。

接着，外面来揪"黑帮"了。一天下午，我看见两位老干部各抱着半个西瓜大吃特吃，还以为他们很开心呢。旁边知情的说，难为他们呀，刚从工人体育馆押回来。在那里，脖子上挂了好沉的牌子，被红卫兵像拉牲口那么满场绕着斗呢！

进入 8 月，形势不妙了。所住的那个学院里也有了红卫兵。名气大的，去餐厅的路上就揪来斗。要自己报名。大家都学会过关的窍门：自称"我是个黑帮"。尽管如此，一到吃饭时，大家就发愁，饭后更不敢像往常那样在大院里走动了。

接着，各单位分头派车来接黑帮了。上车之前，照例先斗一通。记得在《白毛女》里扮演黄世仁的那位就给戴上高帽。罚跪之外，还打个头破血流。审问他为什么逼死贫农杨白劳！ 那就正像后来折磨为了深入敌营而任过伪职的地下党员一样：扮演的角色，同本人划了等号。

我开始明白这是个皂白青红不分的运动。它触及的仅是皮肉，触不到灵魂，因为领头的也根本不知灵魂为何物。

斗争会

他是一位骨瘦如柴的老戏剧家。一身皱巴巴的蓝制服，山东口音，是位纯朴的老人。可20年代当我还是娃娃时，他就已在文坛上活跃了。其间，为了革命，他坐过不少年牢。本来他早就搁笔不写戏了，偏偏在"史无前例"的两年前，他写了个历史剧，而且一下子就轰动了。老头子说，总算打响了一炮。谁知这里竟伏下了莫大祸根。

由于运动前夕他就被点过名，所以同我这个摘帽右派一样，是理所当然的重点。只要开斗争会，不拘大小，从没漏过他。开的既然是斗争会，那么照例都得挂牌子，"喷气式"。皮肉之苦总是难免。

干什么都得有个目标——生产上叫指标。当时，罪大恶极莫如反对主席。斗这位老人，就是要他招认戏里的坏皇帝影射的是亿万人民心中的红太阳。这个目的达不到，当然就誓不罢休。

这老头儿平时挺随和，可在这个问题上他却犯了犟，怎么也不肯合作。既然那确实是没影儿的事，凭台下怎么喊"敌人不投降，就叫他灭亡！"他还是不承认。只见他不住地摇头。至于他的呼冤声，自然早被口号淹没了。

于是，罚他扫厕所，周末不许回家。我也是受到另眼看待，被分配干这活儿的，所以亲眼看到他一边刷尿池一边吧嗒吧嗒地掉眼泪。我心里满不对劲儿，可一声也没敢言语。好家伙，吭一声就会成为反革命串连。

于是，就折腾来折腾去。

一天早晨，老人一边干活儿一边翕动着嘴唇嘟囔起来。我听到他接连说了三声"对！"那天下午又开他的斗争会。两位臂上缠了红箍的炊事员，像捉到小偷那么雄赳赳地抓紧他两只瘦小的胳膊，把他押进了会场。单位里一位嗓子高而脆的女同志照例带头喊起口号。革命群众中有个斗得特别起劲的，还离开座位追到老人身边去喊，随喊随捶他那瘦小的骨架。

主席团一排成员入座后，斗争会开始了。念完语录，革委会主任就走到台口，宣读老人的罪状。接着斗争开始。

问（气势汹汹地）：这个反动透顶的戏是你写的吗？

答(低下头来)：是。

问：戏里那个皇帝你影射的是谁？说！

(下面也一片"说"声。)

答：毛主席。

(这下全场哗然了，接着是一阵口号声。)

问(恨不得一口吃了他)：你为什么要影射？

答：我要篡党篡国。

这回，可把主持人愣住了。这太出他意料之外了。他肯定没料到这回会这么痛快、干脆。他简直有点不知所措了。他回过身来同主席团嘀咕了一阵，然后大声宣布："把这个坏蛋押下去！"会就这么在一片喜悦与惊愕中散了。

我先还觉得荒谬：凭他那副骨架，凭一个戏，怎么去篡党篡国！猛然间，我开窍了：老戏剧家毕竟是高手，心坎上对他既钦佩又感激。他为我们被斗争者创造出一种新模式，一种新的三段论式。先包下罪行，然后供认矛头指向主席，问动机，就答曰：篡党篡国。

这种模式确实曾使有些人，在有些场合下，缩短了痛苦的历程。同时也让斗争者拿到了胜利果实，证明群众力量的无比伟大。

86

标兵

当连长的要是想让他带的连在大队里出人头地，就得培养出个把标兵。对象当然得一贯革命，历史清白，出身越苦越好。连里要出个标兵（也就是英雄），那可人人光彩。

然而同是"五七战士"，条件大同小异，到底突出谁好？ 万一树错了，惹起公愤，可就弄巧成拙啦。

刚下去，有位同志没使过柴油机，一下子把整排门牙全崩掉了，血流满身，他还不肯让包扎，要接着干，突出地表现了"五七战士"的革命气概。把他树立成标兵，没人能说个"不"字儿。

尽管天天出工前要喊几遍"一不怕苦、二不怕死"，可流血毕竟属于事故，不便过分推广号召，不能靠那来树标兵。这么一来，连长抓耳挠腮了。

在天天读的会上，我们班上一位老实人谈起自己的劳动体会说，过去知识分子坐等吃喝，不辨菽麦，这回下来才懂得了粒粒皆辛苦的道理。以前闻到粪味就掩鼻而过，如今自己抬粪，想到抬的是肥料，可以使稻谷吐穗，变成粮食，反而觉得它香了。谈得十分诚恳。

班长在连部开会时，顺便就把这段话汇报了。连长眼珠一转，灵机一动，说声好哇，这回标兵有啦。

于是就请这位老"五七战士"先在排里讲，然后又对全连讲他抬粪的体会。一道改造，相互切磋琢磨，本极正常。他讲得真实朴素，充分体现了一个老知识分子经过劳动锻炼，在思想感情上所起的变化。

倘若事情到此为止，就恰到好处。然而光在连里讲用是当不上全干校的标兵的。连长见多识广，着眼的是去五千人参加的全干校大会上讲。第一步得先去大队。连长一方面吹出空气，说咱连要放卫星了；一方面就叮嘱老实人要对讲用稿狠下功夫，暂时可以不下地了，在家里琢磨讲用稿吧。要大力润色，"务必要把它搞得有声有色"。

六个连组成的大队讲用会是在仓库里开的，一千多人挤得水泄不通。水银灯在老实人周围聚成个光圈。唱完《大海航行靠舵手》之后，讲用开始。尽管已经听过三遍，我还是很留心听。何况出于职业习惯，我也想知道他是怎么加的工。

粪味由臭变香是讲用稿的精华，墨彩当然主要用在这部分上。功夫确实下了。没辜负连长的嘱咐，不但气味变得香喷喷，而且在粪的颜色（金黄）上，也颇有所发挥。听起来不再像人粪，倒像一桌山珍海味。

散会后，也许是由于走出了那灯光如昼的大仓库，忌讳顾虑就少了。黑夜里，我一边走一边倾听人们三五成群地在议论。讲用本来是十分严肃的一件事，一路上却不断听到咯咯咯的笑声。

想到老实人后天就要在五千人大会上去讲用了，我不禁替这位即将成为标兵的同志抱起屈来。

最后的一句假话

浩劫之后，痛定思痛，大家普遍有个愿望：说真话。巴金甚至用"真话"当作书名。把真话憋在心里，一憋经年，确实比孕妇难产要痛苦多了。难产者所面临的，仅是个生不出的问题，她不需要生个假娃娃；而不能讲真话，往往就还得违心地编造一番假话。

1969 年，有件不幸的事使我感到真话确已绝迹。由于那种窒息的气氛以及像遇罗克那样讲真话者落到的悲惨下场，人们不但上意识习惯于讲假话，连下意识也不放松警惕了。

这里要讲的不是一个人酒后或在梦中，而是在弥留时刻。只一两分钟他就与世长辞了，然而在昏迷中他还说了句冠冕堂皇的假话才咽的气。

他老早就入了党，同"黑线"又无瓜葛，在战斗队里自然是位佼佼者。斗争会不是由他主持，就是由他重点发言。他的大字报一贴，就占半堵墙。所以在"黑帮"帽子满天飞的当年，他是对立面抓不到辫子的一位响当当。难怪工宣队一进驻，他就成了依靠对象。

忽然间，听说他那在外单位的妻子给抓起来了，说在她抽屉里发现了"反动"标语。正碰上要抓一批人来镇压，没几天，法院布告就贴到我们机关外墙上了，说她"企图"（！）张贴反动标语，罪大恶极，立即处决。

多么沉重的打击呀！换个人，谁也受不了。可他真沉得住气。第二天我看到他竟然若无其事地在操场上还同工宣队员打篮球。当然，他这是故作镇静，表明划清了界限，自己并没有问题。

两天后，忽然对立面在楼梯口显眼处给他贴了张大字报，就他本人的历史提了几个问题——后来才知道大体上是捕风捉影。然而"文革"前他喜欢胡吹。吹嘘就难免露破绽。质问他的正是那些破绽。

那可是运动以来第一张贴给他的大字报。其实，承认当初自己是瞎吹的，也就算了。可他太爱面子。另外，才三十出头的妻子就那么给镇压了，他心里能没疙瘩？晚饭桌上，他一直低着头，一边发愣一边机械地往嘴里扒饭。十点钟吹哨，他同大家一样回到四楼地铺上了。他并没睡，来回翻腾。

大约十一点，睡在尽头上的班长忽然听到一阵响声。他赶紧奔到过道朝北的厕所一看：窗户敞开着，窗棂上摊着一件棉大衣。再由窗口朝下一望，依稀看到下面黑糊糊地躺着个人，似乎还在呻吟。

班长赶紧披上件什么，噌噌噌地奔下楼去。"响当当"跳楼了！还有点气儿。

班长把大家喊下来，叫来了救护车。正要抬他上车时，他微睁开眼睛。一看是班长，就说了他最后一句话：

"我梦见——有特务——我追——就跳了——"

他大概意识到身为党员，跳楼自杀必然会当叛徒来批判。 于是，就编了个英勇擒敌的故事。

然而事后大批判栏贴出的工宣队告示，依旧说他是自绝于人民。

"文革"语言

清晨散步，偶遇一位靠拾烂纸为生的老汉。他一边在草丛间寻觅冰棍纸，一边跟我唠叨起来："那十年，哪儿用得着这么东一张西一张地拾！随便跟哪个机关学校挂上钩，就没饥荒啦！这边刚糊满一墙，那边儿就又覆盖上一层。一个往上贴，一个就蘸着红墨水往上画圈圈打叉子。不含糊，那可真叫'大字'报！字儿写得比馒头还大。那阵子费不多大力气，一个月从废品站那儿少说也拿个两百块！"

随后，他叹了口气。

生活中，人各有其憾事。作为文字工作者，我有时懊悔当初没搞个本本，抄录一下那成千上万张大字报上的语言。倘若有那么一份资料，如今风平浪静了，坐下来研究一下那宏文中的逻辑以及硬把文字当手榴弹迫击炮使用的表达方式，今天该可以写成一篇多么有趣而又富有意义的文章啊！

我也叹了口气，恨自己的记性不中用。

"文革"时用的还是汉语，当然不能说有一种独立的语言，叫"文革语"。然而又不能否认那时候的用语，现在不再通行了。如今，你再讨嫌一个人，总也不能狗呀蛇呀地喊，更不能管他们爱人叫臭妖婆，管他的子女叫狗崽子了。因此，不能否认"文革"时的汉语是有其特点的。

记得当时我看大字报，心里常想，当个"文革"秀才并不难。

不但不需要文学修养，甚至也不必过分动脑筋，因为对人对事，只问敌我，并不需作任何分析或说理，骂起来不需讲求任何分寸；辞藻也极简单，甚至大体上都定了型，好像预制的零件。歌颂红太阳总不出那几句，就是骂起对方来，也无非是黑帮、黑老K、洋奴之类，凶狠有之，但并不花哨，更谈不上说服力了。

是不是大字报的写者修养差、水平低呢？也不尽然。倘若一所画院只准其画家用大红或大黑二色，不但青黄紫绿一概不许用，连浅些淡些的层次也在禁止之列；线条则只许直不许弯曲，画家再有才华，岂不也只能画出机械画来！举凡拥护的事物，就一律赐以"红"字，反对的则统统加个"黑"字。于是，"黑帮"开"黑会"，写"黑信"、"黑日记"。

据我记忆所及，这种大批判语言主要有两大特征：

（一）重气势，也就是本着顺我者存、逆我者亡的精神，以重型黑压倒。对方的所言所行，一律均属疯狂叫嚣或罪恶勾当；任何反驳，均是明目张胆的反扑；一摆道理，就是颠倒是非，混淆黑白；不投降，就是负隅顽抗。形容自己的行动时用"迅雷滚滚，海涛澎湃"；描述对方时则用"阴霾迷漫，邪气横生"。假若对方不肯再继续奉陪了，则是吓得要命，怕得要死。

"文革"初期，还只"打倒"或"炮轰"，后来经过发明创造，又用起"油煎"，甚至动不动就"砸烂狗头"。总之是打翻在地，再踩上一只脚，叫他永世不得翻身。

（二）大批判语言的另一特征是不屑于说理。文章的分量或支柱，主要靠的是从革命先贤者著作中摘引出的名句。其实，引来引去总也不出某几段，然而贴出来就大放光芒，所以照例要用红笔画上圈圈，以张声势。

然而大批判栏上的有些骂话，有时也给人以似曾相识之感，因而需要进一步探讨的是：究竟这种语言是1966年自天而降或革命小将们的独创呢，还是早有其渊源？同时，更值得关怀的是，那种重型词句的使用以及其论证的方式，如今已经绝迹了吗？

1986年8月

（原载《北京晚报》，1986年8月。）

改正之后

——一个老知识分子的心境素描

解冻

像过去几年这么平静、安定的日子，真正很久没过到了。当然，一二级偏北风或小雨雪仍时而出现。大气层在运动，气候怎能没点变化！好几回，周围一些高度敏感的小气象台都报起警来，说天空有几块乌云，龙王的胡子又翘起来了；从迹象看，联系到往日的规律，那种闹得天翻地覆的龙卷风又将刮来了。然而转眼之间，吹来的却是沁人心脾的微风。跟着，天放晴了。然而龙卷风袭来的可能却仍不能排除。

我的童年是在内战频仍、虎狼当道的旧中国度过的。除了贫困、饥饿，还得当侦缉队的猎物。青年时期很长一段日子都没能摆脱战争：逃了日本炸弹又跑去躲希特勒的。进入中年，天亮了。最初几年颇有些大风大浪，但始终没袭击到自己身上。但是回想起来，那阵子始终觉得"不服水土"，可又没认真去"服"。于是，大风浪终于朝我刮来，而且一下子就把我卷入深渊。

1977年至1978年间，到处流传着烟台或青岛会议的消息，说右派要改正了，我的反应是麻木的。这，当时同我在一个房间工作的刘宾雁最清楚。那时，他就像一名赛前的跑将，准备哨子一吹，就撒鸭子。我则早已给自己下了"此生休矣"的结论。对于我那顶后来变为隐形的帽子能不能真正摘掉，我关心得并不急切。那似乎很遥远，飘忽不定。我对解决住房问题似乎倒更热衷些。

是不是完全无所谓呢？那么说可也不合事实。在我的心板上，最难拭去的要算这件事了。政治身份下跌后的那番炎凉，要比家道中衰可怕多了。1961年回到北京，我住的那个大杂院里，有个曾因破鞋案被拘留过的女人。一天，她在南屋拍打孩子，声音却冲进我住的东屋里来："小兔崽子，长大了你当什么都可以，可就别当右派！"我没得过麻风病，但那段日子里，我充分体会到了那种人下人或等外人的味道。

自从1966年8月被赶出自己好不容易经营起来的那个小院子以后，我们一家就流离失所了。1971年在咸宁干校办退休，表格填好，半身照片还是请人临时在猪圈前拍的。可是当北京民政局发觉我在偌大的北京城，竟连一张单人床的位置也不称时，就拒绝接受了。

这当儿，一位老友又好心地透露给我一个不祥而可靠的消息：由于那顶隐形帽，我只配到山沟里去退休。这下，连一直镇定着的洁若也着起慌来。她那时还在咸宁，生怕回不了北京。为了不再继续牵累全家，我立刻给上级打了个报告，保证"尽管我是北京土生土长的，尽管在干校因双抢得了冠心病，只要能让文洁若和孩子们回北京，我甘愿去任何僻远山乡退休，了此一生。立此为据，决不反悔"。

然而连猫狗还恋窝呢！1973 年，我以看望孩子为名，溜回了北京。逢到房管所接待日，我必老早赶到，同许许多多困难户挤在一条长凳上。一屁股一屁股地往前挪，死磨活磨，居然感动了两位房管员。他们说："你当小工，我们来义务劳动。"那是三伏天。我在街心和泥兼递砖，他俩掌起瓦刀。我们硬是把东北城一家的八米门洞的两头堵死，一头安个门，一头留个洞当窗户。一家四口就这样谋到个栖身之所。

万也没料到：窗下那个下水道原来早已成为院中几十口子的尿池了。夏天，窗子连个缝儿也不敢开，屋里还是臊气哄哄的。

怎么向院里央求也不成——当然，由于堵了门洞，我们早已犯了众怒，有一家还故意倒上几截屎橛子。

这里，老友荒芜和韦芜、徐盈不时光顾，还接待过不速之客：陈翰笙、翁独健和潘家洵三位先辈曾先后突然光临。当时，我是既感动又狼狈。一天，歌词家乔羽写信说，要同欧阳山尊来看我。我赶忙回他一信说，两位一道来，舍下实在坐不开。那天乔羽走进后，我现把系在顶棚上的小孩椅落下来给他坐。上初中的儿子又正在家中唯一的双屉小桌上做功课，我只好把他赶到五中教室去。

1978年，几位同命运的朋友如陈涌，来劝我写个状子，翻翻案，我都说"不"。我最渴望的是有个能正常生活和工作的窝。

最近，《光明日报》两次来信催我参加征文，谈谈"我的书斋"。我那几百字一定大煞风趣。今天我确实有了个书斋，然而我不能忘记还有很多人家像我们当年那样挤在斗室里睡双层床哪。所以文末我写的是：愿天下有情人皆成眷属，愿从事写作的，都能有间工作室。到那时我再来谈我那书斋里的陈设。

然而，我就是在那张一家合用的双屉桌上重新拿起笔来的。

1978年春天，邹诗人获帆代表《世界文学》来向我约稿了。事情可新鲜得让我不知所措。在那之前没多久，我曾写信给出版社外文部的负责人，自告奋勇要求帮助整理一下资料，连个回信也没收到。怎么我突然又成了组稿对象呢？

我开始相信宾雁几次悄悄告诉我的形势好转的话了。然而译什么呢？书，统统没有了，桌子上只摆着潘家洵先生前些日子退还给我的《培尔·金特》英译本。于是，孩子一睡，我就占据起那张小桌，开了工。

这出戏还是1944年在伦敦看过的呢。经历了一场"文革"风暴，我对剧中那些人物似乎更熟稔了。它使我回想起许多不久前的人和事。译到"当狼群在外边狂嗥时，最保险是跟着它们一起嗥"处，突然，几年来那一墙墙的"大批判栏"在我眼前出现了。我觉得一百多年前，易卜生好像就是针对本世纪六七十年代的中国写的这出戏。不管我的译笔多么拙劣，我是对原作怀着无限共鸣来译它的。

紧接着，《新文学史料》编者黄沫（50年代在《文艺报》我们曾共过事）也向我约稿了。他说，在文艺圈子里，你转了那么多年，30年代又在津、沪、港编过刊物，肚子里总挖得出点史料吧。这回的挑战更厉害了。搞翻译，特别是译古典作品，什么罪名都有洋人、古人担当。写东西，要是出了岔子，可就得自家兜着了。然而在挑战面前，我还是不甘打退堂鼓。我想，找个保险的题目写吧。斯诺最好——因为他上过天安门。

文章刊出后，有些朋友看到了我这"木乃伊"居然又动弹起来，就纷纷来信祝贺。我明白，他们祝贺的不是文章本身，而是我又重新拿起了笔。可我一生的畏友巴金却来信责备说，那不是你的文笔。对我来说，那当然是个不小的震动。我开始发愁：写作的权利是恢复了，可我还能像以前那样写吗？我开始懂得，外部还好解冻（虽然也并非轻而易举），个人内心就更加困难了。

这六年可以说就是我主观的解冻过程。我满以为都融化开了。最近，邵燕祥却在我的一篇小文里又发现了冰碴。[1]

痛定思痛

这些年来，最常出现在脑际的一个念头是：倘若自 50 年代起就一直是这么搞法，即是说，从实际出发，而不是靠一个人的心血来潮，那么，今天国家该是个什么样子，世界该是个什么样子！

我总认为，错误路线误的不仅仅是我们自己，还拖了世界的后腿。在柏各庄国营农场水田里，在咸宁割小麦时，在我当着自

---

[1] 《解冻》，见 1985 年第 4 期的《读书》。

己的娃娃在自家院子里挂牌跪在八仙桌上时,当我看到彪形大汉的连长左右开弓地打那位弱不禁风的老编辑嘴巴时——不,还要早,甚至在"三反"以及反胡风运动时,三个"难道"就总涌上心头:难道这就是革命?难道革命非这样不可?难道亚非拉人民也会走上这条路?

50年代初期,我被分派在对外宣传岗位上,因而每天都有机会读到来自世界各个角落的读者的信。那时,多少个黑色皮肤的、棕色皮肤的,以及白色皮肤的,对中国革命多么热切地向往啊!就中国人民来说,1949年10月1日是站起来了,他们呢,则意味着终于看到了曙光。非洲橡胶园的种植工,拉美打渔、炼钢的,甚至地中海边小本经营的商人,都惊喜地看到一种可能:革命照样可以有点人情味儿,温饱之外照样可以有点乐趣,好发议论的知识分子也照样可以畅所欲言,不至于拉去劳改,更不会闹得家破人亡。总之,凡属资本主义制度下可以合理享受到的,这里都可以享受到。只是没有人再在土地上、在机器下面受剥削、被榨取了。

人类,或者说一切生物,都有一种自然的、本能的趋势:朝着可以生活得更好些的地方转动。有两种使人民留在自己国境里的路子,一种是筑起高墙,通上电网,架起机枪和探照灯,把人硬看起来；另一种则是在界线这边把生活搞得更灿烂、更幸福、更舒畅。人们不但不想逃出去，已经出去了的还渴望回来呢。很难以相信，然而竟然就有人迷信前一办法，并且自诩为主义的忠诚。实际上，那恰好是背叛，因为那就像在药铺的招牌上给画了个骷髅，把想来买药的人都吓跑了。

30年代，莫斯科肃反搞扩大化，就曾使西欧一大批有影响的知识分子（纪德、奥登、依修伍德、奥维尔等）从革命的同路人变为敌对者。到50年代初期，第三世界的亿万群众对中国革命产生了殷切的期望。那时，我的工作就是通过宣传，燃起这种热望。

1957年夏天我坐在大楼里挨斗时，看到善良人竟然也张牙舞爪，诚实人也睁眼撒起谎来，我绝望了。反右倾以后，这片大地更加沉寂了。革命者变得唯唯诺诺，革命变得阴阴惨惨。农场孟技术员头天在队部挨了批，第二天就在田埂上朝我们大声嚷着，检讨着："我保守，我跟不上时代。听着，亩产可不是两千斤，是两万斤！听见了吗？两万！"大家都豁出去了。那本辩证唯物主义颠倒过来念了。谎言成了真理。

到1966年红8月，革命就由阴惨惨变为血淋淋的了。丢在胡同口垃圾堆上的六条"尸首"，有人说还没断气呢，就拉到火葬场去了。大孩子告诉我，他们高中那位干了一辈子教育工作的老教师被打死后，造反派非逼着校长在阳台上抱着死尸跳舞——他干脆跳了楼。那阵子，对不少人来说，死比活着美丽多了，有吸引力多了。我也几乎加入了那个行列。当我看到我的家被砸得稀巴烂，多年辛辛苦苦搜集的欧洲版画被扯个粉碎，当我看到"三门干部"文洁若被戴上高帽，拉到院里大车上挨斗的时候，我对身边这个世界失去了兴趣。

70 年代，由于我懂点外文，被编入一个翻译队伍——不是文学翻译，而都是些《麦克米伦回忆录》之类的国际政治著作。我吃惊地发现：60 年代当大批第三世界摆脱了殖民主义枷锁，成为独立国家时，一些本来会向左转的国家，朝右边走去了。中国的样板在多大程度上影响了他们，我不能断言。但 1983 年以后，我有机会接连两次前往东南亚一个角落。那里，不少人还把"革命"同"文革"划着等号，因而只要带点红色的，统统视为洪水猛兽。

我的"右派"改正之后，多少好心人以惋惜的口气对我说，你损失了二十多年啊，而且是你一生中精力最充沛饱满的一段时光。要是没戴帽子，该可以写出多少东西！感谢之余，我心里却并不以为然。在鼓励说谎，甚至只许说谎的年月里，被夺去手中的笔，有什么不好呢！我不必一面看到朋友家的暖气管子被拆掉抬走，一面又违心地去歌颂大炼钢铁。一个用笔杆的人，倘若不能写出心坎上的话，确实还不如当只寒蝉好。更何况那年头，无论写什么，到了1966年以后都只能被"梁效"那位审判官抓作把柄呢！所以几年来在纽约、伦敦、慕尼黑或新加坡，每当有人以好奇或同情的语气问起我那段沉默的日子时，我就回答说，那是塞翁失马，因祸得福。这并不是遁词，而是肺腑之言。我一向不大会约束手中这支笔。在那漫长的岁月——中间还经过一阵子"神仙会"，倘若不是头上扣了顶紧箍帽，我是绝不可能只字不写的；而不论写了些什么，我的命运都不会好过那些可敬的革命秀才。

在国外，还有些人会上会下问我，所谓落实政策，难道就发给你一纸"改正证书"完事吗！我赶紧解释说："不，不，还恢复了级别、薪金和生活待遇。"可对方往往还追问，有没有道歉。批错了有没有纠正，以前的工资补发了没有。有人还特别问：对错批错斗过你的人，今天你有什么感觉。

他们对中国的知识分子实在缺乏认识和了解。这些年，我既时刻在省察自己，也在观察与我同过命运的人，特别是比我更加冤枉或受的罪更大的。大家不约而同地都顾大局，识大体，没有人计较个人得失。每当有人悄悄地对我表示"1957 年我对你欠了账"时，我一律回答说："怪不得你。"除去为了澄清仍有现实意义的一件事而在香港《开卷》上写了篇《猫案真相》之外，我不但没去分辩过什么，心里对谁也不存芥蒂。事实上，同某些参加过长征的老帅们的遭际相比，那又算得了什么呢？倘若过去那段日子能成为扭转乾坤的契机，个人牺牲二十几年时光也是值得的。

当前，举世都密切注视着我们正在建设的中国式社会主义。是让世界人民称赞它，羡慕它，被它所吸引呢，还是让它把世界人民吓跑？现在经济建设讲求效益，也有个政治效益问题吧，而且比经济效益更加重要呢，因为它涉及第三世界的走向，人类的走向。

重见阳光

1979 年 2 月，领到"改正证书"的第三天，我就同老友柳杞到他当年打过游击的东陵"散心"去了。我确实需要找个安静地方，定下心来，想想底下的日子该怎么过法。在盘山麓下，翠屏山旁，我都有些心不在焉。

被称为伤痕文学的作品陆续问世了。其中，有些人物的命运同我的相仿佛，因而不免引起共鸣。有几次我的确也想写写自己的伤痕，甚至曾在纸上起过头。我发觉我还不能站在历史的高度去俯瞰过去那段日子。

其实，长时期（尤其"文革"期间）萦绕我脑际的一直是这么个题目：在你死我活的阶级斗争中，知识分子与知识分子之间的关系问题，或者说，一时占上风的少数知识分子，怎样利用工农干部来迫害其他知识分子。这就是我在《一个乐观主义者的独白》[1]中所谈的猫与鼠的问题。

在农场劳动时，一次我被派去给一位林业师傅（他刚好也姓林）打下手。我因腰部有骨刺，蹲久了就疼，不知不觉地就会发出吭哧吭哧的声音。干了一上午，林师傅大概不愿听我老这么吭哧吭哧的，当天中午就通知队里换个人来。这下我可遭殃了。下午就批起我来，说我抗拒劳动。晚上，林师傅悄悄地把我从宿舍里叫出来，带我去他家。一进门，炕桌上已经摆好一壶酒和一碟花生米。他和善地让我坐下来，叹了口气说："兄弟，对不住啊，谁料到会给你惹出乱子来。"东西我没吃，酒更没喝，但我深深感到劳动人民的好心肠。但是回去后，还是硬说我吃了喝了，又狠狠批了我一通。那是我这个念头的开始。

---

[1] 见《萧乾选集》第一卷第16页，四川人民出版社1984年版。

1960 年，洁若听说我在下边常吃生冷，怕我得钩虫，在信里给我夹了一小包值不上五分钱的灰锰氧。有人就立刻报告了大老粗的队长，说我从北京收到了高级药品。这当然是顽固地坚持反动立场、抗拒改造的表现。1959 年冬天，第一次在农场做鉴定，由一位一道在改造的高中女青年来掌握。她可比刀笔吏本事大多了，能在我当时穿的一条裤子上，做出"仇恨社会主义"的大文章。许多往事都使我深深感到，即便在"文革"期间，真正的工农也仍是善良的。少数知识分子整起旁的知识分子来，才手毒心狠呢！

经过几年的考虑，现在我决定放弃这个题目了。我是在写完《猫案真相》之后做出这个决定的，因为我察觉到自己摆脱不掉个人感情，不配去写它，但我还是希望有人去写。

1978 年，黄沫——又是好心的黄沫，约我为他负责的五四组编一本《散文特写选》，我欣然应命。当时我有两个想法。从 1949 年开国的那天起，所有我过去写的东西，无形中就都被判为毒草，甚至图书馆卡片匣里也查不到。更没有哪家出版社会来重印。现在，能让它们同新的一代见见面，让青年们自己来辨识一下，总是历史的公正。其次，我大半辈子生活在旧中国，写的当然主要也是旧中国——要不就是国外。我想，至少可以让读者像翻看褪了色的旧相册那样，通过我那些东西，了解一下过去。

集子编完之后，得写个序。我从未打算过写什么回忆录，只是想，既然作品要同新的一代见面了，也应该让他们知道一下我是个什么人。于是，就产生这么个想法：用回忆过去的形式写序，或者说，通过序来回忆过去。

第一个尝试是《未带地图的旅人》，写的是1933年以后我在国内外从事旅行通讯的经历。是黄沫把它交给筹备中的《当代》的。接着，又在孟伟哉的鼓励下，写了《一本褪色的相册》，回忆了我的青少年时代。

随后，我在《人民日报》上发表了《往事三瞥》，这是写1949年我从香港回到北京之前的一段思想斗争。我并不是像有些读者在来函中所认为的那样"坚定不移地投奔革命"的。正相反，由于40年代当记者时读到过关于苏联肃反扩大化以及战后东欧的一些情况，我十分担心那些可怕的事会在中国重演。《往事三瞥》只不过说明我是怕当白华，怕成为丧家之犬，才作出回北京的决定的。

接着，天津百花、广东花城以及湖南、四川出版社都相继来信要印我的书。这里，我不得不歌颂1978年以来我国文化界所发生的一个带根本性的变化：出版多元化了。1957年，已故的冯雪峰鼓吹多元化，被斥为反党。那时，出谁的不出谁的书，是由几位大员钦定，由一个出版社独家主持的。当时我就想：倘若出版社不多元化，只此一家别无分号，出版社怎么能不成为衙门，又怎么能把"双百方针"由口号变为行动呢？

我那些早已束之高阁或打成毒草的旧作，眼看要跟我一道重见阳光了。这时，我面临了一个问题：是原封不动地把它们交出去呢，还是自己先看一遍，做些必要的修订。

在一本书的自序中，作者自豪地说："这些是我几十年的旧作，如今重读一遍，觉得没什么可修改的。所以就一字未动地把它印了出来。"我读后十分钦佩。几十年前写的，能够这样让它原封不动地问世，说明确实是成熟之作。

然而对于自己几十年前写的东西，我却远没有这样的自信。何况花城出版社的王曼在发排《梦之谷》重版本之前，首先就建议我删去书中夹杂的个别英文字和一些发音并不准确的潮州话。后来又看到梅子为香港文学研究社编的一本《萧乾选集》。在前言中，他列举了我早期小说中一些欧化的句子，并写道："对现代汉语句式的结构比较熟悉的读者不难看出这里遵循的都不是汉语的习惯。再者便是关于象征手法的运用，萧乾是最早的实践者之一，我们在前面提到过的《道旁》即是一例。这些借鉴，有时固然丰富了中国现代文学语言和表现手法的宝库，有时也会使作品晦涩别扭，给大家的欣赏带来障碍。"[1]

这就促使我不得不认真地把旧作整个重读一遍。我依稀记得30年代初期，我刚学写作时有过的一种倾向：总想躲开现成的通行的语言。再加上那时看洋小说较多，写东西有时不知不觉地在用洋文构思，落笔自然就带了洋味，像《栗子》开头那段。当时，汉语还未规范化起来，所以我非但未受到批评，有些评者还认为满新鲜呢。如今，既然要让它们同80年代的读者见面，就觉得有责任把过于别扭的句子顺一下。

可是香港大学的赵令扬教授又大不以为然。在一篇谈我的文章[2]里，他认为"30年代的作品，有着30年代的气息，不应改为80年代的语言来适应80年代的格调。……萧乾集中的几篇小说，改动的地方虽不多，但改动后却比不上原来的面目，那就不必乱真了"。接着，他举出《雨夕》中的一段话，把1936年商务本同经过改动的1983年版本做了比较。我同意他的批评，所以四川出版选集时，已经把简化了的那一段描写，又恢复了原状。

然而至今我仍认为，重印几十年前写的书，而作者如仍在

---

[1] 见《萧乾选集·前言》第10页。

[2] 《萧乾作品评析》。见《中国现代作家选集·萧乾》，第217～223页，香港三联书店1983年版。

世，为了对读者负责，应该允许他做些必要的修订。当然，研究者（他们毕竟是少数）还是要看初版本——不，应该看作者历次的版本，从而可以追溯作者思想及艺术发展的过程。这要同广大读者的需要区别开来。

我自己的修订主要是为了使文字今天读起来更顺畅一些。然而作者可不可以对内容作实质性的改动呢？这当然要作具体分析。作品必然有内在的统一，不可能把一部反动的作品改为进步的。但是原则上，我是赞成作者做任何他认为必要的改动的，应该允许他去提高。

文学史上这样的例子很多，这里，我只举一个自己比较熟悉的。

1742年，英国小说家亨利·菲尔丁出版了一部政治寓言体小说：《大伟人江奈生·魏尔德传》。主人公是个伪君子：人前是个出入法院的体面绅士，人后却是个盗贼的指挥者。全书用的都是反笔，"伟人"其实是个大坏蛋。此书第一版中，作者影射的是慧格党内阁首相倭尔普。此人曾凭一纸剧本审查法，扼杀了菲尔丁的戏剧家前程。尽管那不失为一种对反动统治者的反抗，然而毕竟还是从个人得失出发的。在逝世之前，菲尔丁又出了修订本——也即是1954年我翻译该书时所根据的版本。这里，他对全书作了最后的修订，并把书中的"首相"一律改为"大官"，从而使作品的笔锋由针对某一个人，而提高到对一切反动统治者的鞭挞了。

为了提高作品质量，不但应当允许作家去做他认为必要的修改，翻译家也应同样享受这一权利。几年来我的几部旧译都重新出版了。我也是把它们都认真读过一遍，并做了修改，其中改动较大的是中国青年出版社出版的《莎士比亚戏剧故事集》。

我的旧作都是重排的，没有纸型，因为1949年以后根本就没印过。旧译则不然，都有纸型。于是，同出版社之间的矛盾就发生了。负责印制的同志希望只做一个萝卜一个坑这种程度的改动，因为可以在社内解决，由专人一个字一个字地在纸型上挖改。超出这个范围就得把整页重排一遍，而印刷厂是不愿意接这种零碎活儿的。所以到了责任编辑手里，就尽量少改。

重印旧译时，我也都写了新序。我总认为译者更有义务写序。作者可以不写序，因为他要讲的话，已在书中了。而译者则有责任向读者交代一下他译的这本书的作者是怎样一个人，他为什么选译此书，以及他对这本书的评价，哪些部分写得精彩——当然也应指出书中不足之处。每逢看到大部头翻译，最多只交代一下原作版本，总觉得译者没尽到责任。

允许作者修订旧作和允许译者修订旧译，首先都是为了更好地为读者服务。同时，也是为了使作者和译者不固步自封，不断地用批判的眼光检查自己的成品。

步步设防

1949 年春天决定来北京之后，我采取了一项果断的措施：发信给所有在海外的中外友人，请他们在我离港之后，永不再给我写信，就连贺年片，也不要发。同文洁若结婚之后，知道她在美国有位大姐，经常同国内的家人通信，还不时寄些钱来。在我的劝告下，这个关系也断了。我同我那位美国堂嫂安娜一家人一度住隔壁胡同达五六年之久，我们不但不往来，在街上相遇也没讲过话。对海外关系，我老早就怕而又怕。

因此，1950 年 9 月，当我突然接到通知，要我参加由刘宁一率领的一个访英代表团时，我感到的毋宁是紧张。我只是在"服从分配"的原则下，接受这一任务的。那时出一趟国，可隆重了。临走之前，周总理还在中南海紫光阁接见了全体团员。然而就在出发的头天深夜，我那个单位的领导来电话通知我说，代表团照样走，我则"不要去了"。次日，那位领导又更加明确地对我说：

"你，还是在国内走走吧"，意思就是我不适宜出去。

当时，我刚离开英国没几年，许多熟人都还健在。自从接到通知，我一直在嘀咕，万一人家来拜访，我回不回访！"文革"期间，从旁人的"特嫌"事例中，我更加认识到那次没出去，对我是大好事。然而这件事始终在我心上留下个阴影。它清楚地向我表明，我是不被放心的。

1979年初夏，当作协通知我，要我准备9月访美时，我的反应是复杂的。首先，这说明：对我个人政治上的估价有了变化。当然，我绝不认为非出国才算受到信任。只是由于1950年那段经过以及事后那段训话，1979年这个通知对我的意义才远远超出事情本身。

但是当时我的戒备心理并没完全解除。积极方面，我决心此行要为像我这样过去不受信任的知识分子争口气。此行，既要为国家争取朋友，消除误解，又要做到不说一句错话。

回想起来，有些事当时我也许做得过了头。行前东道主聂华苓打电报来，指定要我作十分钟的演讲。上级并没要求我送审，我还是把它逐字写出，送了上去。同行的是位老党员，我决定一路上一切由他掌舵。到了美国，他决定废掉我那篇经上级审定过的讲稿，由他另起炉灶。我也没二话。后来还是由于他写的稿子一个小时也讲不完，这样，他才又决定仍用我的那篇。我只坚持作为两个人的联合发言。

在美国，我要同他在一道活动。个别大学（如哈佛）只请了我一个人，我立即回信谢绝，直到他们改请两人，我才接受邀请。

今天回忆起这些，只不过说明我当时那种步步设防的精神状态。事实上完全是不必要的。1983 年至 1985 年，我同文洁若接连出去四次，其中三次（美国、西欧和马来西亚），只有我们两个自由活动。1979 年那次由于有那位老党员同行，依赖心理很重，事事都先问问他。后来，独自行动了，要凭自己的认识来应付，责任心加强了。

1945 年我第一次由伦敦去美国采访时，我只代表一家报纸。1979 年那次，我深深意识到，代表的是中国作家，也时刻记住这一点。那是三十年来初次同台湾作家相见，事前自然很紧张。没想到民族感情一下子就驱散了所有的成见和隔阂。第一个"中国周末"那晚，人人都为《松花江上》的歌声所打动了。三天里，同周策纵、叶维廉和张错之间结下了深厚的友谊。

回到北京，真像是刚去了趟月球。政协、民盟、文艺界、出版界都得去讲讲。讲什么呢？这时，步步设防的机器又开动了。我记起 60 年代一位诗人出访非洲，回来做报告时，讲了点那里贫穷落后的情况，因而受到了批判。又有一位同事去了个西方国家，回来谈了几句富裕的情况，因而也成为罪行。我决定还是不去正面谈美国本身的好，只谈海内外关系。第一次是在1957年曾开过我的批判会的原文联大楼里举行的。人真到了不少。坐在台上，我望着听众，也望着摆在桌上的扩音器和录音设备，心里不很踏实。四十几页讲稿都是文洁若连夜赶抄出来的，随抄她随帮我斟酌语句。这一点最好不提，那一点需要冲淡一下。讲时，我是照本宣科。

事后，洁若告诉我，听的人大多表示失望。我说，那就很好。倘若他们听了过瘾，我就该担心思了。

出去一趟，总得写点什么吧！写什么和怎么写，又是个大问题。

我在国内外跑过不少地方，除了雁荡山，我几乎没写过游记。我总想，一座古塔就那么多层，历代文人数来数去，反正还是那么多层。当然，自然风景大有可写的，但我总认为那应留给诗人们去写。我是想通过游记的形式，反映点社会问题。写国外，则倾向于借外喻中。

由《人民日报》连载的《美国点滴》以及最近连载过的《欧行冥想录》也是这样。比如其中的《上与下》一节，我谈的就是长久以来的一个感想：怎么资本主义国家的福利从下往上做，社会主义国家的福利反而从上边开始呢？中小学在他们那里免费（所谓义务教育），上大学不但收费，有的还很昂贵。而在我们这个社会主义国家里，中小学除特殊情况可予减免外，一般反而是要收费的。在哈尔滨，一位家长告诉我，孩子不但得交学费，搞卫生时连扫帚、抹布也得从家里带去。上大学则不但免费，有的（如师范）还管伙食呢。至于干部，则官做得越大，福利就越多，多到无微不至。

最近，作协来信问我对于为作家评职称的意见。我在回信中说：一、作家的地位只取决于其作品的艺术价值和他拥有的读者。文学史上没有一个作家曾评过职称。二、然而中国有中国的国情。这里，级别、职称关系到住什么房子，病了吃到什么样的药，以至急病时能不能坐得上小汽车去医院。因此，我赞成大搞这项工作。当时我就想到已故著名演员金山（去世时级别不算低：中央戏剧学院院长），竟因为级别不够，在医院走廊蹲了三个小时才抬进病房去抢救——哪里还抢救得了！

写国外游记应当起个开窗的作用。窗开了，屋里空气才新鲜一些。生活在盒子里并不能延年益寿。

三过鬼门关

我小时，我们住的北京东北角那一带，房子大都年久失修。一下雨就到处倒塌，每回总得压死几口子。知道房漏了，可又修不起，就在屋瓦漏处搭上块破席头，上面压几块砖。

大概是上私塾的时候，我在路上有过一次险遇。我喜欢擦墙根儿走路。那一天，一块压席头的砖不知怎地哧溜下来了。是个夏天，我裸着上身。那块砖是紧擦着我的身子坠地的，把我的脑门和胸脯都擦破了皮。现在回想起来，只差上几分，我就可能呜呼哀哉了。

哎呀，我那苦命的寡妇妈可后怕死了。她噙着泪水搂着我，孩子长孩子短地不知叫了多少声，初一十五还去土地庙烧香叩头。街坊大爷们摸着我后脑勺，用祝贺的口吻说："这孩子命硬。"

这句话在我一生起过难以言说的镇定作用。1940年经历希特勒大轰炸时，1944年坐在满载黄色炸药箱的卡车上向莱茵河挺进时，甚至每次上飞机时，我都对自己说："你命硬，不怕。"

1980年12月，我就是默念着这句符咒被推进手术室的。 从那以后，直到 1983 年，我动过两次大手术，三次小手术。五次进出手术室，我的心都是宁静的。

先说说我为什么要动手术。

我对医学一窍不通，缺乏起码的常识。然而我对肾结石却有了点认识。肾，就是下水道的入口。淤塞了，它就会长结石。因此，为了防止长结石，第一条就得每天把水喝足。

1958 年至 1961 年在柏各庄农场时，我同十几个人合睡一条大炕。我起过一两次夜，每次都得惊动睡在两旁的人，感到十分不方便。谁不是白天累得要命，天一亮又得爬起来干活！而且由于没有电筒，有一回起夜回来时，摸错了地方，挨了好一通臭骂。于是，我想了个绝招：过午滴水不进。果然很灵。从那以后再也不必起夜了。

当然，喝什么水也有关系。在湖北咸宁，我们是把向阳湖的湖水用柴油泵打上来喝。湖里不但经常有几十口子在洗澡，还泡着更多的水牛，并且随意方便着。杯子里发现一块半块牛粪，一点也不新鲜。

我的结石大约就是这么形成的。

但是中医总说我是肾亏，还是一次做腹部拍照时，偶然发现了它的影子。已经快有栗子那么大了。

这是在 1978 年年底。转年，政治上我就得到了"改正"。于是，思想上就从"此生休矣"转变为仍要在事业上有点作为。

出访美国之前，我就站在十字路口上了。几位大夫都劝我不要动手术，说倘若结石只有米粒那么小，倒真可怕，因为一旦掉进尿管，能把人疼晕过去。我那块最大的结石，少说也有二十年了。它位于肾盂口上，刚好挡住了其他小块结石，所以绝不会发生结石掉进尿管的问题。而我又已交七十岁，大可带着它去火化场了。现在回想，他们所说的很有道理。

在美国逗留的四个月中间，我一直在考虑这么个问题：现在好不容易才又能写作了。可是蹲在北京怎么写？写些什么？题材、素材，全在基层。1956 年还不是由于下去几趟，才写出点东西的！然而带着这颗定时炸弹去矿山或农村也不是办法，还不如干脆把这个隐患除掉再下去的好。

动手术就是这么决定下来的。

手术前，洁若告诉我说，医院要她在一张开列着我可能遇到的五种死亡的单子上签字。她一再劝我多考虑一下。我说，你签吧，我命硬。

结石取出后，尿道不通，只好带一根肾管。那八个月可受了大罪。1981 年 8 月，决定干脆把左肾切掉。切除后，由于带过肾管，缝的线不为肌肉所容，伤口总也不能愈合。 于是先后开了三次小刀，在不打麻醉药的情况下，硬把线头一根根地勾了出来。

带肾管的那八个月，在日夜随时告急中，我译完了《培尔·金特》，并开始编那四卷选集。

除了初中时得过一次伤寒，我一生几乎没住过医院。七十岁上住起院来，不免会想到死亡问题。

对于死亡，以前倒是有过恐惧。我早年见过不少死人。我妈妈是我搂着咽的气。最后钉棺材盖时，还有人扶着我站在一只高凳上向她说了一句永别的话。到了墓地，也是由我这个孝子先抓一把土，攘进穴口。我尝尽了死别的痛苦。

那时，许多习俗都把死亡神秘化、恐怖化了。上学的路上，每天必走过棺材店和寿衣铺。一到阴历七月十五，就办起盂兰盆会，说是鬼节。纸糊的船上站了各种等待超度的冤鬼，有缢死的无常，有龇牙咧嘴的夜叉，好不怕人。

每次去东岳庙，我总对那个瞪着眼睛翻着生死簿的判官不服气。凭什么由他决定人的寿数！当我译《培尔·金特》时，就把剧中那个铸钮扣的人同我早年所不服气的判官联系起来了。然而铸钮扣的并没武断地决定培尔的命运。他还容许培尔作出自己的努力。

　　如果有人问我的人生哲学，我想用四个字来概括：事在人为。我从不相信先天注定的寿数。小时我就想，寿数再高，要是把身子横卧在火车铁轨上，也照样轧成两段。我一面准备死亡随时光临，一面自己加强锻炼，有病即早治，尽量推迟它的到来。

　　说来也怪，80 年代我面对死亡的勇气，恰好来自 1966 年的红 8 月里我服的那瓶安眠药。倘若隆福医院按照当时通常的做法不收我这个"阶级敌人"，或者收而敷敷衍衍，不给好好洗一下肠子，我也早就化为灰烬了。

　　那期间，在交代"黑思想"时，我说过这么一条：一个知识分子在新中国得个善终可真不易。那是因为我听到看到那么多科学家、教育家和作家，有跳楼摔死的，也有活活被打死的。那阵子我成天都在琢磨着自己怎么死法。关牛棚时，每上厕所总勘察在哪里上吊牢靠。

　　直到那帮人彻底倒了台，我对自己的死才有了自信：我会善终的。

　　1980 年 12 月，动手术的前一晚，当医生来验明次晨开刀的部位，护士为我剃毛时，我猛然感到自己离死亡近了一步。可那晚我睡得很平稳，很熟。当洁若带点愁苦告诉我那五种死亡的可能性时，我还她一句：1966 年那次要死不也就死了吗！如今，看到了歹徒的灭亡，又领到了"改正证书"，还不该知足！

由于开导她，我倒开导了自己。

多少人——多少比我聪明、能干，比我好的人都没能看到那帮人的灭亡，而我看到了，这是多么可庆幸啊！现在，我觉得每活一天，就是白赚一天，白饶上的一天。得好好利用它。

住院后期，我坚持每晨散步一个小时。我总是从病房出发，一直走到太平间，然后再折回。一趟趟地总那么走。太平间——鬼门关，对我不再可怕了。即是迟早必然的归宿。重要的，应该为之动脑筋的，还是怎样利用被抬进去之前的这段日子。

我希望我千万别脑软化，别成为植物人。最希望的是一旦不能料理自己的生活时，就突然死去——更好的是悠然而死，比如在睡眠中，或伏案工作时。

我掌握不了自己如何死法，但我能掌握自己如何活法。

我自知当不了闯将。我从来就不是。我也不特别勤奋。但无论教书、当记者还是从事写作，我都还能力所能及地踏踏实实做点事。我就将这么做下去，做到非停下来不可的一天。

"未知生，焉知死。"孔子真是位讲实际的人。生——这是每一个人都拥有的、内容各自不同的一本书。这里有成功也有失败，有欢乐也有悲哀，有值得自豪的，也有足以悔恨的。我希望有一天我能鼓起勇气，把自己这本整个地翻一翻。现在还不去翻它，因为还在写着它。只怕停笔时又来不及翻它了。

因此，我在找个诀窍，一边写着它，一边翻它。

1985 年 4 月 5 日于北京远望楼

（原载《现代人》，1985 年第 1 期。）

在歌声中回忆

《自由花》

国歌（正如国旗）的更换，标志着一个民族走过的历程。20年代我还是个娃娃时，唱过一阵子"卿云烂兮，糺缦缦兮，日月光华，旦复旦兮"。那时排队去国子监祭孔，打的是五色旗，唱的是《大哉孔子》。1927年后，每星期一举行"纪念周"之前，先得朝着青天白日旗鞠躬，唱"三民主义，吾党所宗"。1930年在辅仁大学，有一天一位欧洲大音乐家来校参观，唱国歌时校长特请那位客人弹琴伴奏。他弹着弹着，气得弹不下去了。后来听说他嫌那乐谱太离格。

1949年10月1日奏《义勇军进行曲》时，就像同一位老朋友重逢，只是如今他穿上了大礼服，庄严了，但仍令人感到亲切。

早在 30 年代就唱起它了。

20 年代，我曾听一位堂兄唱过一支带有反帝意识和爱国主义情绪的歌曲。当时刚上学，字认得不多，所以歌词有些部分至今也只读得出音，写不出字来。大致是：

> 黄族应享黄海权，
>
> 亚人当种亚洲田，
>
> 青年，青年，
>
> 切莫××自相残，
>
> 坐教欧美着先鞭。
>
> 不怕死，不爱钱，
>
> 丈夫绝不受人怜。
>
> 洪水×滔天，
>
> 只手挽狂澜。
>
> 方不负，×××××，××。

每次唱它时，都觉得胸脯在向上挺，慷慨激昂起来。

音乐——特别是歌曲，在我的生活里一直占有特殊位置。它平时是个爱好，遇上天灾人祸，就成为眷慰者。其实，我身上一点点音乐细胞也没有。五线谱对我同几何代数一般陌生，几位名师想教我跳舞，最后都绝望地叹口气说："哎，你呀，就是没有节奏感！"至于歌喉，就更谈不上了。我有的是副曾经被人形容作破锣的"左"嗓子。如今牙齿快掉光了，怕连破锣也够不上格。

可我喜欢听，而且有时也禁不住哼上两句。

现在要用音乐——用歌声把一生串起来，就先得从第一颗珠子串起。我使劲追忆，刨去"虫虫飞，拉屎一大堆"那类儿谣，我最早唱的好像是一支叫"自由花"的歌曲。当时我大概只有五六岁，还没进学堂。每天黄昏，我同一群孩子在北京东直门褡裢坑附近一块草坪上玩。有一天有个叫"社会实进会"的团体在大院靠墙根地方插了杆旗子，在树上挂起一块小黑板。现在回想，那大概是个民间热心人士组成的扫盲小分队。一位穿灰布长褂的先生和一位穿月白上衣黑裙子的女士向我们讲演当"睁眼瞎子"的痛苦，说欧美和日本人识字，所以国家强。中国再这样下去，兴许就要亡国。

接着，他们就教起歌儿来。我现在还记得歌词的开头是：

好，好，好，

好一朵自由花。

香喷喷的，

鲜荷荷的，

颜色真美丽。

好一朵自由花！

也许由于唱的次数多了，要不就是小时候记性好，几十年来那歌子就像海滩岩石上的牡蛎那样牢牢地粘在我的脑海里。

是不是由于这支最早接触的歌，就使"自由"这个字眼儿对我特别具有魅力呢？后来从课本和各种读物里，晓得曾有人为它掷过头颅，就越发觉得它光彩夺目了。现在才懂得这字眼玄而又玄。1957年以后，我对它就望而生畏了。现在，倘若把它作为一个题目来考我，我大概只能交白卷。

少年时代，我受过两种音乐教育，其中，最重要的是来自民间。

小时候，老姐姐教的和庙会里听来的小曲真不少！什么《画扇面》、《丁郎寻父》、《锯大缸》，大都是些封建糟粕。其中，有些岔曲至今又仍觉得很美。像《风雨归舟》，描写一个渔翁正钓着鱼，忽然西北角下风云起，乌云滚滚黑满天。刹时间天晴雨过。渔夫急忙忙，驾小船。登舟离岸至河边。抬头望见天边处是一道长虹，雨后的景物格外鲜艳。他打了鱼，就到长街去换酒钱了。既勾勒出渔人和童儿的乐趣，又是一幅饶有诗意的水山画。曲子里还尽量发挥了日常语言中双声叠韵的音乐性，如"打啦啦的溜溜的金丝鲤，刷啦啦地扔下钓鱼竿"，音节、意境都美极了。60年代初在文学出版社一次晚会上我唱过它，因而1966年作为用"风风雨雨"同"三家村"呼应的罪名受过批判。

当时最触动我心的，还是些同我的境遇有关的曲子，特别是描绘孤儿命运的《小白菜》和《可怜的秋香》。

金姐有妈妈爱，

银姐有爸爸爱。

秋香，你的妈妈呢？

你的爸爸呢？

听到这里，不知不觉地两行热泪就会淌了下来。

1985年1月在新加坡的一次文学晚会上，主席刘绍铭点名要我登台表演点什么。窘了好一阵子，我就鼓起勇气唱了：

小白菜呀，

地里黄啊！

哦，居然一句也没落，全唱下来了。

唱之前，我在开场白里交代说：半个多世纪前，我曾在潮州用这支歌子打动过一颗少女的心。后来才知道这个注脚是多余的。他们大都看过《梦之谷》了。

进洋学堂之后，由于是教会开的，自然就学起洋歌儿来了。其中，最吸引我的是由斯蒂芬·福斯特整理的那些美国黑人在种植园里唱的歌曲：深沉、忧郁，往往带着对命运无可奈何的情调。那些曲子大都出自一本叫《一〇一曲》的小书。

1985年春，参加武汉作协组织的黄鹤楼笔会时，在三峡游轮上还同宗璞、绿原、端木蕻良等十几位一道"登台"演唱了《老黑奴》，由曾卓用口哨来伴奏，博得了船上外国游客们的热烈掌声。那时才知道文艺界同《一〇一曲》结下了因缘的朋友很不少哩。

《一〇一曲》里也有法兰西革命时群众向巴士底监狱进军时唱的《马赛曲》以及美国南北战争时唱的进行曲。那是我同外国歌曲最早的因缘。1979年访美时，我带回九本《一〇一曲》，如今我自己手里一本也没有了。多少朋友见了都稀罕得不得了。每支曲子都能带来多少早年的回忆啊！

《云儿飘》

黎锦晖谱写过《毛毛雨》那样不好的曲子。对他应如何评价是音乐史家的事，我无意置喙。这里，只说说我同他那些小歌剧的一段因缘。

1928 年我在汕头角石中学教国语时，正当小歌剧的高峰。由于我每天在班上用将近一半时间教学生们唱《葡萄仙子》、《月明之夜》、《麻雀与小孩》里的曲子，有位同事在教员会上带点讥讽地质问我：教的是音乐还是国语。我回答说：用音乐教国语。

《月明之夜》开头先描写夜静人稀，天上的嫦娥多么寂寞凄凉。她从天上降临人间。最后一幕唱的是"小朋友，我的好朋友，大家都是好朋友"，鼓吹人人相亲相爱的乌托邦理想。《麻雀与小孩》开头描绘老麻雀教小麻雀飞翔的本领。接着是小朋友同小麻雀之间的对话，宣传的也是博爱思想。1960 年时，我常想，要是把这样的剧本"揪"出来，可是批判资产阶级人道主义的上好资料。

就音乐而言，黎锦晖歌剧里那些曲调是大杂烩：有民族曲调（如"云儿飘，星儿耀耀"的曲调就是《朝天子》），也有欧美民歌（如《麻雀与小孩》开头的"飞，飞，飞"的调子原是苏格兰民歌）。他本人的创作似乎主要是曲调之间的过门。其实，北伐战争时唱的"打倒列强"还不是欧洲一支哥哥叫弟弟莫睡懒觉的起早歌！黎锦晖的确选了不少上口并且好听的曲调。1928年在汕头以及1932年在福州，我就是用那些歌子引导几百名青少年去学国语，爱国语的，而且还真灵哩！

他们并不是一上来就喜欢学。有些孩子甚至反感，认为是北平来的一个外江佬强塞给他们的。在成立了以提倡国语为宗旨的"天籁团"之后，就有人问：难道潮州话是"地籁"吗？事实上，那时潮州的青少年学省城（广州）话更有用，可以提供升学和就业的机会。然而《云儿飘》毕竟还是蛮有魅力的，黎锦晖的小歌剧在学校里唱开了之后，国语跟着也香了。那些歌曲还能舒展他们想象的翅膀，培养优美的情操。

用音乐教语言——当时是句气话，是用以顶撞旁人的。几十年后的今天，我觉得那确实不失为教或学一种语言的特殊手段。30年代我学过一阵子法语，至今几乎全忘光，然而当时学的几支法国民歌还萦绕脑际。70年代，我教过几个青年英语，其中包括现在英语可能已经超过了我的萧桐。正是他，在咸宁的小树林里曾把初级英语课本摔在地上，表示坚决不肯学。我是用几支英美民歌把他征服了的。

我有时想：教育心理学家何不把音乐与语言教学作为一个课题研究一下？如今在提倡教育从儿童着手，为什么80年代就没有音乐家根据新时代的理想，编些孩子们爱唱爱演的小歌剧呢！

《拿起暴烈的手榴弹》

1936年在上海，经常同曹维廉在一起。我们是在福州结识的。不幸1984年他在新华社香港分社副社长的任上故去了。30年代在上海，他是聂耳合唱团的积极分子。每次来看我总带一两张歌谱，教我唱抗战歌曲。我们不但唱《毕业歌》、《大刀进行曲》，也唱一些国际性歌曲，像"我们祖国多么辽阔广大"。我印象特别深的是他唱"拿起暴烈的手榴弹，对准杀人放火的弗朗哥"时慷慨激昂的表情。那些雄壮豪迈的歌曲曾扩大了我的胸膛，给我勇气，使我身在上海，却同进步世界息息相通。

"八一三"以后，我同小树叶逃离上海时，大轮船已经不肯开进黄浦滩了。我们只好搭一条驳轮到吴淞口外去上船。当时，那一带正在激战，黄浦江上炮火连天，小驳船就在滚滚乌烟中前进。我们俩躲在甲板一角，缩成一团，还哼着"冒着敌人的炮火前进，前进，前进，进"。声音虽然有些颤抖，那歌子的确给了我们不少信心和勇气。

《松花江上》很自然地成为流亡生涯中的主题歌。无论在珞珈山麓、辰河之畔，还是昆明翠湖边上，"流浪，流浪"的歌声昼夜都在回荡着。

1938年初到香港，我曾迷过一阵子好莱坞的音乐片，特别是《翠堤春晓》——原名《重逢在维也纳》。

抗战时期去了延安或敌后的朋友，情绪想必都是坚定而健康的。在大后方，在大时代的考验下，有上进的，也有堕落的。当时在香港报馆里，有的同事黑天白日地打麻将，也有成天跑舞厅的，像是用那种生活排遣自己内心的苦闷。麻将和跳舞我都不会，然而我也在用那软绵绵的音乐麻醉着自己。

幸好那为时不长。华北八路军的黄浩来到香港，我陪他走了趟岭东。转年，我自己又去了滇缅路。我意识到香港那种生活对我是一种威胁。

《牧神午后》

在我登上英伦三岛之前，我仿佛老早就通过狄更斯等人的小说对它很熟稔了。由于唱过《一〇一曲》里的一些民歌，我对英格兰的绿色山谷、苏格兰的铃兰花和爱尔兰的伦敦德里，都不感到陌生。我同西洋音乐的阳春白雪的接触，就是在那里开始的。

是 1940 年的夏天吧，我同吴元礼和蒋硕杰两位同学去威尔士西海岸巴茅茨度假。那座滨海小镇背倚斯诺敦山岭，前临爱尔兰海峡，风景绝佳。我们看中它的另一个原因是：估计纳粹轰炸机不会光顾。

到达之后，我们先去警察局报到，然后，就携带着各自的食物配给证，找附近一家副食品店去登记。那家商店只有两间门面，老板是位胖墩墩的中年人，脸上满是皱纹，想必早已超过兵役年龄；伙计则是个瘸子。每星期五，我们都到这里买下一周的配给。老板总是笑嘻嘻地迎过来，彬彬有礼地问："先生，我可以为您做点什么？"就接过本本，从灰色的围裙小袋袋里掏出笔来在本本上一项项地划，一边还同我们拉着家常："家里有信来吗？""中国的仗打得不错吧？"然后转过身去，就像位图书馆员那样从架子上取下茶叶呀、干酪呀什么的，一份份地摊在柜台上，让我们过目。过完目，自动计算器上也咯噔出钱数了。我们掏钱的当儿，他把供应的物品装进了纸袋。然后，就互道声"再见"。

一个星期五，正当我要迈出店门时，老板说："先生，我有个冒昧的请求。不晓你们三位中国先生肯不肯赏光，明天晚上八点到我这里喝杯咖啡？"并且告诉我，他就住在店铺的楼上。

既然到了威尔士，我倒也很想见识一下那里的社会和风土人情，就欣然接受了邀请，并且答应替他去邀蒋、吴二位。

当时，我设想尽管老板娘没露面，这大概是家夫妻店。丈夫在楼下做生意，太太在楼上理家，带娃娃。家里短不了要养些猫狗，窗台上必然栽满了盆花。

次晚，我们三人就准时沿着店旁一道木梯登上二楼。门开后，老板满面春风地迎了出来。第一眼就留意到：他没系围裙，换上了一身藏青色的衣服，扎了黑蝴蝶结。在那间十五米见方的书房里，没有老板娘，没有娃娃，也没有猫狗。周围沿墙全是一格格的木板，上面排放着一厚本一厚本的唱片。壁炉前，除了几只沙发，别无家具。角落里有一庞然大物——一架留声机，上面伸出一只在比例上同房间很不相称的大喇叭。从谈话中，我们知道他从没结过婚，唯一的嗜好就是音乐。他很惬意地告诉我们说，他一生的积蓄都放在那几千张古典音乐唱片上了。不，他还有个嗜好。他的咖啡煮得好极了，醇而且浓，并且很别致，是土耳其咖啡，用的杯子比潮州喝功夫茶的那种酒盅大不了许多。

他说，十分抱歉的是他不懂中国音乐，但他相信那样古老的文明，必然有一座十分丰富的音乐宝库。他为自己的无知感到惭愧和遗憾。然后，他问我们肯不肯同他一道欣赏一些欧洲的古典音乐，问我们要听交响乐，还是协奏曲？要不就挑歌剧或芭蕾舞音乐。他递给我们一个羊皮面的大活页夹子，上边写的是"唱片索引"。

这下可考住我们了。三人中间我还勉强算个"音乐爱好者"，然而我的知识也超不出《夏天最后的玫瑰》或《桑塔·露琪亚》那样的小曲。我当时感到像是一个溜街串巷的野孩子被引进了艺术殿堂，真窘人啊！

好半天，我才吞吞吐吐地问了声：可有德沃夏克的《幽默曲》？他马上拿出另一个活页册子，上面写的是"轻音乐"。

我至今仍记得他放唱片时的神态：活像一位在圣坛上执行神职的祭司。唱片轻轻放在唱盘后，不一刻，喇叭里就奏出轻快的音乐了。这时，同来的一位跷起二郎腿，另一只脚就像听洋鼓洋号时那样踩起点子来。我留意到主人的脸色异样，就轻轻用臂肘碰了他一下。

底下实在再也点不来了。主人意识到我们的窘状，就自告奋勇替我们挑选。他沉吟了半响，然后从封皮写着《德彪西》的册子里取出一张，放在唱盘上。开机之前，他先介绍说："我每听这支曲子，脑子里就像神游了东方。你们听听，看它是不是有点东方味道。"

他放的唱片是《牧神午后》。乐曲一开头，就由一支笛子吹奏的牧歌渲染出神秘静谧的气氛，立刻把我们引入一个遥远的梦幻世界。乐曲时急时缓，时而低沉，时而高昂，时而引起淡蓝色的忧郁，时而又使人振奋激扬。这样超逸，这样感人，这样能攫住人整个灵魂的音乐，我还是头一次聆赏。

这是我第一次步入西洋音乐的大雅之堂，而我的引路人是那位系了围裙，为我拿茶叶和干酪的店老板。

去剑桥读书后，同音乐的机缘自然更频繁了。剑桥有两座剧院。一座叫艺术剧院，另一座叫节日剧院。常有伦敦第一流的乐队或戏班子来大学城演出。票价比伦敦定的低，并且事先可以预购各场的门票。我总是倾钱囊和时间所允许的去预订。 撒德勒·威尔斯歌剧团来的那次，我几乎每出都看了，才初步瞻仰了欧洲歌剧这座宝库。我也很喜欢吉尔博特和苏里文两个英国人在19世纪末合作的那些轻歌剧，特别是《日本天皇》和《潘赞斯的海盗》。1979年访美时，我带回他们的全集，成为我一本常备的床畔书。

此外，我也曾特地去英国西岸一座叫达亭吞的古堡去参加亨德尔的纪念会，第一次听到 18 世纪的演唱剧《艾塞斯和戈拉其亚》。在爱丁堡的音乐节上，我第一次知道黎锦晖的"飞飞飞"曲调的出处。

那以后，我就在副食店老板的启发下，把私蓄多用在唱片搜集上了。从伦敦、巴黎到纽约的大街小巷，一张张地积累了几百张唱片。其中，我最钟爱的是一套叫作《音乐史》的唱片，几大厚本，收有从文艺复兴时格雷格里僧侣诵经，18 世纪的巴哈、亨德尔，19 世纪各种流派一直到 20 世纪初叶的许多大师的代表作。它们和我一生其他的珍藏，都被 1966 年 8 月那场红色风暴刮走了。70 年代初，落实政策时，我还在湖北干校。代我去领取发还书物的孩子得到的竟然是一张五元支票，上写"唱片已作废品卖掉"。倘若是我亲自去领取，我担心会当面把那支票撕成碎片。我只希望废品站上有位识货的艺术鉴赏家，把它们送到用得着的所在。

当随军记者时，也听到过英美士兵唱的一些歌。那同中国的军歌可不一样，一点也不雄壮。

中学时，军阀王怀庆的军营就设在我们课室楼的隔壁。天天听他们操练时齐声唱：

> 三国战将勇，
> 首推赵子龙，
> 长坂坡下称英雄。
> 还有那张翼德
> …………

后来在冯玉祥军队里又听到耶稣教的进行曲。开头一句是"前往基督雄师，为耶稣力战"。然而两次大战，英、美军人唱的歌子，都是以排遣士兵在战争中的苦闷为主旨。现在仍能记起的一支是：

> 把你的忧愁装进背包里，
> 笑吧，笑吧。
> 忧愁又有何用？
> 从来也不值得。
> 把你的忧愁装进背包里，
> 笑吧，笑吧。

另一支也是在两次大战都十分流行的歌子，是用几个熟稔的地名抒发士兵思乡、思念故人的情怀：

到提伯莱瑞，

要走很长的路。

要走很长的路。

再见吧，皮克迪利，

别了，莱斯特方场。

到提伯莱瑞，

要走很长的路。

但是我的心，

就在那里。

在战地，在伤兵医院里，只要有军人，就听到有人扯了喉咙唱这类歌子。

1946 年初，我去瑞士向欧洲告别时，在苏黎士看了贝多芬的歌剧《费德里奥》。那真是一次难忘的艺术享受。

《茫茫大草原》

1949 年仲夏，我乘地下党的华安轮离开香港，在胶东登陆。接着就来到解放了的北京，听到《解放区的天，是明朗的天》。

那是一支朴实、亲切而又好听的曲子，充满了革命的温暖，真使人感觉来到了一个崭新的天地。从延安来的一些30年代的老友，个个穿件灰色棉大衣，彼此互称着老张、老李。吃饭时，负责的同志却吃以窝头为主食的大灶，优待我们这些"回头浪子"吃"小灶"，心下很是不安啊！当时对于共产党员是特殊材料制成的一语，颇有些体会。后来才知道，中间也有张春桥一类的人物。

我还是1947年从复旦学生作文中第一次知道《白毛女》的。两年后，我看到这出新时代的歌剧了。多么感人的情节，多么优美的曲调啊！1950年冬，我就是带着那出传奇性的歌剧所给我的一股力量，去湖南土改的。在岳阳听农民在地里唱的一首说理体的歌子《谁养活谁呀，大家看一看》，很是喜欢。跑了才一个多月，回来除去完成了预定的《土地回老家》任务，还为中文报刊写了几万字。接着，"雄纠纠，气昂昂"把所有唱它的人都带到鸭绿江彼岸去了。

50年代中期，在北京恭逢了一次音乐盛会。乌兰诺娃的芭蕾舞《天鹅湖》在天桥彩排时，我就被《新观察》派去看了，并且写了篇小文。在莫斯科歌剧院来京上演之后，张权主演了《茶花女》。我在为《人民日报》写的那篇东西中，特别描述了郊区农民拉了大车到天桥来看她的演出。

那时候，我认为对经过时间考验的古典名作不应分国界。在艺术上，世界人民的感情是相通的，因而真正的伟作总是到处都为人们喜闻乐见的。与此同时，中央人民广播电台系统地播放贝多芬的交响乐，每次都有行家作精湛的解说。60年代初，在一次北海举办的水上音乐会上，我又听到了《牧神午后》。我多么想写封信给威尔士小镇上那位副食品商店老板啊——告诉他，这里也有他的知音。

1957年刮起了一场风暴。转年4月，我和十几位命运相同的人在唐山下了火车，坐上一辆开往柏各庄农场的卡车。大家都是垂头丧气的。一道停在那里的，还有一辆卡车，上面满坐着去春游的学生。两辆卡车的司机交谈后，大概学生们就了解到我们这些人的特殊身份了。突然间，他们愤怒地朝我们齐声唱起《社会主义好》：

> 反动派，被打倒，
> 帝国主义夹着尾巴逃跑了。
> 社会主义江山，
> 人民坐得牢。
> 反动派想反也反不了。

我仿佛觉得，他们一边唱，一边还伸出手来朝我们指。

从幼年起，歌声带给我的总是喜悦、眷慰或鼓舞。这时，我第一次尝到它作为鞭子打在我身上的滋味。刹那间，我想到了岳阳斗争会上的地主，想不到我竟然也加入了他们的行列。

从北京来到渤海滩，那真像是从闹市来到了戈壁沙漠。我想亲人，也想音乐。

我们那个分场食堂前木杆子上倒也安了具大喇叭。它一般广播总场的通知和大跃进的新闻，音乐节目则多是《刘巧儿》、《志愿军未婚妻》之类的评剧和快板。

1958年11月的一天，我去食堂打饭。往回走时，忽听大喇叭里播出《天鹅湖》舞曲。那大概是为了纪念十月革命节吧。尽管大喇叭在音色上没法同威尔士小镇上的那只相比，舞曲却像是位法师对我施了定身法。我腿抬不起来了，捧着装菜饭的小脸盆，整个愣住了。忘记了自己是"阶级敌人"，忘记了身在一家国营农场。我眼前像是有一簇活泼可爱的小天鹅，在湖水旁、柳荫下，展开双翅，轻摆着小尾巴在翩翩起舞了。

舞曲突然中断了。队长用冀东口音在喇叭里大声通知：今晚七点打夜战，各分队准时出发。这时我才猛醒过来，忙把冷饭扒到肚里，腰间系上根稻草绳去排队下地了。在场上，我一边往麻袋里搓粮食，一边还沉浸在柴可夫斯基的优美旋律里。

我们那堆人中间，唐达成的嗓音最好——下去之后，他也最能保持着昂扬。记得一回"抽地头烟儿"（休息）的当儿，他倚着草垛，低声为我从头到尾哼了圣桑的《天鹅》。那大概是他最心爱的一支乐曲。对我，那则是比赴一次音乐会更大得多的享受。

那年春节，分队里只准许少数几位改造好的回京探亲，我自然属于留场过年的。洁若知道我不回去，就背了一大包营养品来看我——营养品中还有一本后来成为"特大毒草"的《外国名歌二百首》。那本比一块豆腐大不了多少的小书，在我们那伙中间可成了热门货，甚至是百宝盒。它不但有《一〇一曲》中的许多名作，还有东欧和亚非拉各国的民歌，并且有莫扎特、贝多芬和舒伯特的艺术歌曲。其中对我们吸引力最大的，是那些西伯利亚流放者的囚歌。

茫茫大草原，

路途多遥远。

有个马车夫，

将死在草原。

　　农场设在渤海边的一片盐碱地上，地方荒僻广漠，土壤上又罩着一层白色。我常把它想作伏尔加河或贝加尔湖。收割季节有时管装卸大车。装完了就倚在车后稻草堆上，哼起《三套马车》来。

　　1959年，侯敏泽从什么农业资料里找出菌肥的配方，他立了功，我们也开始有了夜班。菌肥发酵后，日夜都得有人侍候，不断地检查温度。通宵怎么熬过呢？靠音乐。一个人独自坐在那冷飕飕、空荡荡的屋子里，望着摊在地上的菌肥，想哼什么就哼什么，哼到哪儿就算哪儿，因为表演者和观众都是自己，既没人喝彩，也不会有人褒贬。有时候上半句是爱尔兰民歌，下半句又接上湖南花鼓了，倒是真自在。

　　记得有一晚是李林值夜班。菌肥室离我们睡觉的地方要好几百米。也许他哼的声音大了些，要不就是由于夜静人稀，我躺在大炕上，听他唱了大半宵《渔光曲》，声音颤抖而凄哀，而且像妈妈拍宝宝睡觉时那么一支曲子来回唱。它把我带到30年代的上海。

　　1961年回北京后，两个小娃娃就从托儿所出来了。在我的工资降了五级的情况下，洁若竟为女儿买了架钢琴，并且按钟点请老师单独教弹。那阵子，中央乐团星期天常在中山公园音乐堂演奏。为了节省，她带萧荔去听，我带萧桐在花丛里写生。花卉画腻了，他就画我。

为了怕害孩子"修"了，只敢让女儿弹点教指法的基础课。孩子们的音乐是结合阶级教育进行的。我自己悄悄地听西洋古典音乐，给他们准备的则是革命歌曲唱片，如通过长征进行党史教育的《我站在铁索桥上》，灌输国际主义教育的《我生在哈瓦那》。孩子们最爱听的是全本《刘三姐》。二十几面，我们从头到尾不知唱过几十遍。

1966 年刮起了风暴。洁若和我重搭起的家，差不多整个给吹垮了。红色的波涛眼看就要把我们淹没。拼命想拽住三个孩子，可风浪太大，他们的手又小；抓住了，又给冲开了。

最初唱《大海航行靠舵手》时，我还真是昂了头，扯开了喉咙唱的，好像那样就可以把身上的修正主义唱掉。渐渐地，由于自己的"牛鬼蛇神"身份，那支歌对我变成囚歌了，也不知道那大海将把自己漂到哪儿去！

外边的人太死板。一听中国知识分子蹲"牛"棚，就以为真是同牛关在一个棚子里。有人还问我吃没吃草呢！他们不晓得"牛"棚是源自"牛鬼蛇神"。有的人，蹲的"牛棚"不如真的牛棚，因为还要挨种种刑法。我蹲的那个，肯定比真牛棚要好，因为就是原来的办公室。开头，是隔离性质，不许回家；后来，白天关在"棚"里，晚上照样回"家"——原有的家早已被左近的革命群众强占了。那时，像巴勒斯坦难民一样，我们在指定的地点又"支"起个家。

1969年，全家去湖北咸宁战天斗地了。将近五千人的知识分子大军完全按军队编制。下地之前，先排队喊"一不怕苦，二不怕死"的口号。只是扛的不是步枪，而是锄头。班、排长一路照顾着阵容，连长打发我们下去之后，有时则扛了鱼网，带着连里可心的女同志到湖边打鱼去了。

队伍一路上，自是歌声嘹亮：

> 学习雷锋
> 好榜样。
> 忠于革命
> 忠于党。

去干校时，"反修"已经反了五六年，我很警惕，一直紧紧夹着这条西洋音乐的尾巴。当时倒是常在肚子里开音乐会，不唱出声来。有一回春天插秧，不知怎地我忽然把舒伯特的《鳟鱼》哼出声来了，而挨着我插秧的那位立刻警觉起来，并且善意地提醒我"当心大洋古啊"。我立刻诚惶诚恐地谢了他的提醒。那还了得！吹到班长耳朵里，"天天读"时又要挨批了。

尼克松访华之后，波士顿交响乐团来北京演出了，洁若晓得我"馋"，就千方百计给我弄到一张票——是在体育馆演奏，所以票发的数量大了。真是兴奋啊！美国出生的沙博理大概也饥渴了很多年，拿着个小录音机在录。我想，他光听一遍还不过瘾，录回去再反复享受吧，我呢，一边听，一边想：贝多芬还修不修了呢？倘若他恢复了名誉，那么还有巴哈、海顿、亨德尔，甚至当过靶子的德彪西呢？

大概就在那时际，美术馆举办了一次别致的展览：法国农村生活绘画。最初，票不难买。我迈进展厅大门，心里想，展出的大概是法国的户县农民的作品吧！及至进入大厅，才发现都是塞尚、莫奈、雷诺阿、德加等法国印象派大师的名作，只在名目上玩了个花招，骗得靠政治警惕性发迹的姚文元画了圈。

果然，没两天实情传出去了，不但门票买不到，有了门票还不容易挤进去呢。

《音乐之声》的启示

艺术解冻之后，第一个进口的美国片子似乎就是教唱哆咪咪的《音乐之声》。故事是一个从修道院走出去的孤女当上了家庭教师。那家有孩子五个，父亲是个严峻的鳏夫。他在家中对孩子实行的全是普鲁士式的军事教育：从早到晚，一切行动都听他用哨子来指挥；吃饭、睡觉，事事都要排队，而且动辄就声色俱厉地训斥，把孩子们捆成木柴一般。

女教师到任后，有一套自己的教育方法。她把孩子们从军事化的桎梏中解放出来，为孩子们松了绑，让他们张开双臂，到大自然中去呼吸新鲜空气，自由活动。结果，他们也并没干出什么越轨的事。相反地，因为精神舒畅，人活泼了，才智发挥了出来。最后他们仿佛还参加了反纳粹的行列。

这个音乐片在艺术上也许很一般，然而它所鼓吹的内容并不一般，尤其对80年代初的中国。那正是中国知识分子初初松绑，伸开双臂，呼吸新鲜空气的时刻。

乱是有些乱。不但电子音乐来了，走过民族文化宫，甚至可以听到迪斯科。有些人感到愤怒，感到恐慌，感到音乐的末日将要来临。

在音乐上，其实我是个保守派。我不喜欢电子音乐，对迪斯科更谈不上感情。然而那些远远并未形成音乐的主流。一切新的音乐，正如一切新的事物，都要经过时间的考验。成不了气候

150

的，会自行消灭。同样，成得了气候的，怎么压制，迟早也仍会从地面升起来。我认为应该准许尝试和探索，因为20世纪有些重大流派就是通过这样尝试和探索而形成的。一部艺术史清楚地表明：真正美的，总是不朽的。它挤不掉，丑化不了。这点信心总应该有。但一切艺术，只有通过主观选择和吸收，才能真正变成自己的。

1985 年 10 月 11 日

我的启蒙老师杨振声

　　每个读书人从小到大，都不知要经过多少位老师的教导。在自己还是幼苗时期，每位老师都曾浇过点水，撒过点肥，但是在众多老师中间，总有一两位由于他们对自己更下过心，有过更多的影响，因而几十年后仍难以忘怀。杨振声（今甫，1870—1956）先生对于我，就是这样的一位。他辞世已快三十年了，至今，我依然时常怀念他。有时，他那颀长的身材，慈祥和善的面容，富于幽默机智的神态，以及他那使人感到纯朴而亲切的胶东口音，还会在我的梦境中出现。我以活到今天，还能提笔追忆我们师生间这段情谊为幸。

　　除了兵荒马乱的1937年至1938年间那段日子，我从没在他身边工作过。对他，我了解的只是一鳞半爪。我没有资格、也不妄想对他做全面的记述。当他在五四运动中当闯将时，我还是个九岁的娃娃；他毕生研究、主要讲授的是教育心理学，并且是国内屈指可数的国画鉴赏家，我对这些都一窍不通。他在中国公学、青岛大学、清华大学、西南联大和北京大学教过书。我只在燕京大学旁听过他的一门课。关于他，应当由他的同代人以及和他共过事的人来写。不少人已经同他一样作古了，但是健在的也还有。我希望他们都来写一写，因为在中国近代新文化运动中，杨振声老师是值得一写的人物，写出来对新的一代是会有教益的。

虽然我最早接触新文艺是1926年在北新书局当学徒时，直到1929年我对新文艺才有了点轮廓性的认识。那一年，我在燕京旁听了从清华来的客座教授杨振声的"现代文学"。当时，我正在不需要中学文凭就可以录取的燕大国文专修班学习。在班上，杨先生从来不是照本宣科，而总像是带领我们在文学花园里漫步，同我们一道欣赏一朵朵鲜花。他时而指指点点，时而又似在沉吟思索。他都是先从一部代表作讲起，然后引导我们去读作者旁的作品并探讨作者的生平和思想倾向。记得国内他着重讲的是鲁迅的《呐喊》，茅盾的《蚀》，蒋光慈的《少年漂泊者》，郁达夫的《沉沦》和沈从文的《月下小景》。对这些作家，他往往是先从他个人的印象谈起，亲切而娓娓动听。外国作家他讲过托尔斯泰的《战争与和平》，陀思妥耶夫斯基的《罪与罚》，哈代的《还乡》和罗曼·罗兰的《约翰·克利斯朵夫》。每次上课，他都抱了一大叠夹着纸条的书，随讲随引。 他不念事先备好的讲义，也从不把自己的观点强加给学生。他只启发，并不灌输。他一向以平等待人，对我这个旁听生也从未歧视过。

在旁听杨老师这门"现代文学"课之前，我只是碰到什么书就看什么。他给了我一幅当代的文艺地图，并且激发我去涉猎更多的作品。

1930年夏天，我靠假文凭混入辅仁大学外文系之后不久，就同一个叫安澜的美国青年办起《中国简报》(*China in Brief*)。最初，我只是他以两毛五一小时的代价请去教中文的。（那两年，为了工读，我教过好几位洋人，包括后来成为捷克大汉学家的普实克。）安澜那时刚从美国什么新闻系毕业出来，家里给了他不多的一笔钱"去看看世界"。当他看到另一个美国人在上海办起的《密勒士评论周报》很成功，他也跃跃欲试。有一天他问我的意见。我说，现代中国文学可是个"处女地"。我对他讲了讲杨老师现代文学课中所谈到的几位作家，并且把鲁迅的《野草》口译给他。他听了兴奋之至。刊物就是这么办起来的。他要我负责刊物的一半（介绍现代中国文学）。他把当时我正教着他的一本《华语读本》丢开，要我每天把《实事白话报》、《世界晚报》

等社会新闻较多的报纸口译出来。由他记述，这就是他负责的另一半（社会）的稿源。刊物大概出了八期，他口袋里那点底子就光了，我们也收了摊。

《中国简报》同杨老师很有点关系。正是由于他的引导，我才开始较有系统地阅读一些现代作家的作品，看了一些"作家论"，并且经杨先生介绍，去访问了沈从文、凌叔华等在北平的作家。所以《中国简报》并不完全是炒冷饭，也登过几篇我写的访问记，第一篇写的是沈从文。

1933 年夏天，我在福州教完书回到北平，经过教育部的甄别考试补发了文凭，就转学燕京。这一年，原在青岛大学任校长的杨老师辞去校长职务，也迁来北平，在西斜街定居。为了编好一套中小学教科书，这位大学校长还跑到北师大实验小学执起教鞭。也正是这时，他同沈从文先生合编起天津《大公报·文艺》——我的文学摇篮。

1933 年至 1935 年间，除了去西斜街看望他，我还常同他一道参加在北平举行的一些文艺盛会，中山公园品茗或到朱光潜先生家去听诗朗诵。对于我那时的每篇习作，他都曾给过指点和鼓励。

1934 年至 1935 年间，我正在设计着走出校门以后的人生道路。我不想卖文为生，想找个有助于日后创作的固定职业。那时我有两种选择：去内蒙古或是去天津《大公报》。我是蒙族人，很想深入草原，写写自己的家乡。经吴文藻老师介绍，我在呼和浩特也见到了当时主管内蒙古的傅作义将军。他看过我在《国闻周报》上发表的《绥远之行》，很希望我去。但是后来听说去了就得当个官儿，当了官儿就得入国民党，我心里一琢磨，《大公报》毕竟是一份民间报纸，我这才经杨振声、沈从文两位先生介绍，进了报馆。

从1935年进《大公报》直到"八一三"抗战的两年间，最初十个月我只编天津版的《文艺》，后来就坐镇上海，兼编两地《文艺》了。这在我一生中是很重要的阶段。在南方，我依靠的是巴金，北方则是杨、沈二位。

全面抗战后，由于版面骤然收缩，我立即被上海《大公报》遣散了，就绕道港粤流亡到武汉。除了1928年冬天到汕头时，那是我一生第二次的失业。虽然仅仅几个月，滋味可真不好受。身上的钱一天比一天少了，客栈里欠的钱一天比一天多了起来；从早到晚各处奔走找职业，有的人面孔绷得铁青，有的人心肠好却又无能为力。

就在这当儿，杨、沈二先生从沦陷的北平逃到了汉口，并慨然收容了我，让我参加他们从1933年以来在编纂的中小学教科书

156

的工作——那时已近尾声。他们在珞珈山脚下租了所小独院，几间平房，院门是座竹编的篱笆门，横楣上有五个"福"字，我们戏称那地方作"五福堂"。这样，失业后我算是找到了一个栖身之所。

几个月后，我们各自带着一点随身行李，挤进一列火车，又流徙到长沙。沅陵小住后，才沿着新开辟的公路，由湘经黔入滇。"五福堂"搬到了昆明的北门街。我并不在教科书的编制里，那几个月他们每月送我五十元生活费。至今我仍认为那准是他们从自己的薪水中硬搏节出来的。

1938年秋天，我接到《大公报》老板胡霖一个电报，先自己责备一通他在"八一三"遣散同人多么有悖情理，然后敦促我即日启程赴港，重整旗鼓。接着，就汇来用资。那时做老板的非常讲求实际：看你有用时真肯重用，用不着一脚踢开时也绝不腿软。等又用得着你时；也不惜骂上自己两句，以示诚恳。我从而领略到友情和职业关系之大不一样。

这样，我的流亡生涯又告结束，穿过法国殖民统治下的安南，三天后就来到香港，编起港版的《大公报·文艺》，并兼旅行记者，跑了岭东和滇缅。

1939年出国后，我在国外曾同杨老师有过两度短暂的相处。1943年他同古生物学家杨钟健先生应英国文化委员会之聘，赴英国牛津大学从事学术交流，曾到剑桥小住几日。1945年，我去美国旧金山采访联合国成立大会时，他也正在那里访问。都是短暂的相聚，但在异地见到旧知，分外感到亲热。

解放前夕，国民党见大势已去，曾妄想胁迫北平学界一些知名人士随他们逃往台湾去当丧家之犬，大都受到摈斥。杨老师也曾接到这种飞机票。他毫不动摇，坚守岗位，以热切的心情迎接解放。

解放初期，我住在西城国际新闻局宿舍，杨老师孤身一人同当时北大理学院院长合住在锣鼓巷一幢洋式平房里。我每个月必带孩子去看他一趟。那时，知识分子正在脱胎换骨，有的人心情不很舒畅，杨老师却精神焕发。他看到国家摆脱了反动统治，老百姓翻了身，感到无限喜悦。我是从他口中第一次听到新凤霞这个名字的。原来杨老师走出他那阳春白雪的书斋，时常到天桥或隆福寺去看民间艺人的演出。有一天他说天桥戏棚子里真有能人啊，对新凤霞演的《祥林嫂》赞美不绝。记得他还曾与苗培时同志一道搞过一些通俗读物。他没一点点士大夫的架子，也正是在那种"俯首甘为孺子牛"的心境下，他写了《和平鸽旅行团》和《华东一级人民英雄刘奎基》。他急于跟上时代，急于把自己的一切贡献出来。

紧接着，他又经受了一次革命的考验。

1952年全国教育进行了一次大调整。就北京而言，外国教会办的燕京和辅仁被关闭了，北大从红楼搬到了未名湖畔。同时，各大学内部也经过了一次大调动。曾在北京大学执教半辈子的杨老师，从他最喜爱的北京调到长春东北人民大学去了。这消息对我都是莫大的震动，但他二话没说，就动手打点起行装。临别，我把从伦敦带回来的那架在大轰炸中一直陪伴我的收音机，抱去送给他，希望他身在东北，仍能听到首都的声音。

还有一件事也给我留下印象。20年代，知识分子的婚姻大都是由家庭包办的。不少人后来由于与原配没有共同语言，并且为了行使本人自由恋爱的权利，都另外找了生活伴侣。杨老师也是当时婚姻制度的受害者。反抗封建婚姻在他的作品中占有相当位置。他在教育界和文艺界都经常接触一些才貌出众的女性，他从没闹过一点点花样。他为30年代的人争取婚姻自主的权利，他自己几十年来一直忍受着孤独。

1956年他病笃在协和医院时，我正脱产参加中直党委组织的学习。那时的纪律是雷打不动，没有星期天，也不许请假。但我还是偷偷跑去看过他几趟。他瘦成一把骨头，羸弱得说话都感到吃力。但每次去，他都要我讲给他外面——特别是首都的新鲜事物。他闭上眼，欣慰地倾听着。后来，协和把他放进一个特殊的装置，他实际上已经进入弥留状态，但他还用手示意要我讲。记得一回我正在给他讲一场国际性的体育比赛。我以为他睡着了，就把声音放低，不准备讲下去了。但他的头在枕上移动了一下，用微弱的手势示意要我继续讲下去。无论他给病魔或什么魔折磨成什么样子，只要他的心还在跳，他就仍是为祖国的喜而喜，为祖国的忧而忧。

五四运动时，杨老师怒斥丧权卖国的军阀，为此他坐过牢，两个月后才被营救出来。他出身并不寒微，但他一生都是站在贫苦大众的立场上，用他的笔抨击剥削者和压迫者。解放后，他对新社会只有歌颂。有些人对人民政权的态度是以个人得失为转移：得意就拥护，失意就抵触。杨老师在历史转折关头上，个人生活不是没遇到过挫折，但他始终从大局出发，坚定地站在人民大众的立场上，对新社会，他只有由衷地拥护，情绪从未波动过。

杨老师是新文学运动的先驱者之一，他的《玉君》和鲁迅的《阿Q正传》同为最早的中篇小说。但他留下的作品不多，因为他一生主要的贡献是在培养人才的教育事业上。从20年代末期直到他逝世为止，他没离开过教育岗位。教育的功绩是巨大的，但也是无形的。我们需要作家，同时，我们也需要像杨老师这样牺牲了个人的创作来培养作家以及各种人才的教育家。我是怀着敬意和感激之情来提到这一点的。

杨老师平易近人，我从没见他发过脾气。但是在原则面前，他是大义凛然的。1933年，为了维护教育独立，抵制当官的干预，他曾毫不踌躇地丢掉大学校长那顶乌纱帽，甘愿去教小学。1936年，南京开过一次全国美展，杨老师是美展的主持人。但当他听说国民党要把那批古物运到英国去换军火打内战时，他立即拂袖而去。这种气节，这种操守，这种有所为有所不为的精神，是中华民族传统中最为可贵的。

（原载《随笔》，1984年第5期。）

一代才女林徽因

1933年深秋的一个下午，我照例到文科楼外的阅报栏去看报。那时我住在临湖的六楼。是个刚从辅仁英文系转到燕京新闻系的三年级生。报栏设在楼前，有两架：一边张贴着北平的《华北日报》和《晨报》，另一边是天津的《大公报》和《益世报》。忽然，在《大公报·文艺》版尽底下一栏，看到《蚕》和我的名字。那是前不久我寄给沈从文先生请他指教的，当时是准备经他指点以后再说的——倘若可以刊用，也得重抄一遍。如今，就这么登了出来，我自是喜出望外。尽管那时把五千字的东西硬塞进三四千字的空间里——也就是说，排字工人把铅条全抽掉，因而行挨行，字挨字，挤成黑压压一片。其实，两年前当熊佛西编《晨报》副刊时，他也登过我的一些短文，记得有一篇是谈爱尔兰小剧院运动的。然而这毕竟是自己的创作第一次变成了铅字，心里的滋味和感觉仿佛都很异样。

然而还有更令我兴奋的事等在后头呢!

几天后，接到沈先生的信（这信连同所有我心爱的一切，一直保存到1966年8月），大意是说：一位绝顶聪明的小姐看上了你那篇《蚕》，要请你去她家吃茶。星期六下午你可来我这里，咱们一道去。

那几天我喜得真是有些坐立不安。老早就把我那件蓝布大褂洗得干干净净，把一双旧皮鞋擦了又擦。星期六吃过午饭我蹬上脚踏车，斜穿过大钟寺进城了。两小时后，我就羞怯怯地随着沈先生从达子营跨进了总布胡同那间有名的"太太的客厅"。那是我第一次见到林徽因。如今回忆起自己那份窘促而又激动的心境和拘谨的神态，仍觉得十分可笑。然而那次茶会就像在刚起步的马驹子后腿上，亲切地抽了那么一鞭。

在去之前，原听说这位小姐的肺病已经相当重了，而那时的肺病就像今天的癌症那么可怕。我以为她一定是穿了睡衣，半躺在床上接见我们呢!可那天她穿的却是一套骑马装，话讲得又多又快又兴奋。不但沈先生和我不大插嘴，就连在座的梁思成和金岳霖两位也只是坐在沙发上边吧嗒着烟斗，边点头赞赏。给我留下印象的是，她完全没提到一个"病"字。她比一个健康人精力还旺盛，还健谈。

那以后，我们还常在朱光潜先生家举行的"读诗会"上见面。我也跟着大家称她作"小姐"了，但她可不是那种只会抿嘴嫣然一笑的娇小姐，而是位学识渊博、思想敏捷，并且语言锋利的评论家。她十分关心创作。当时南北方也颇有些文艺刊物，她看得很多，而又仔细，并且对文章常有犀利和独到的见解。对于好恶，她从不模棱两可。同时，在批了什么一顿之后，往往又会指出某一点可取之处。一次我记得她当面对梁宗岱的一首诗数落了一通，梁诗人并不是那么容易服气的。于是，在"读诗会"的一角，他们抬起杠来。

1935 年 7 月，我去天津《大公报》编刊物了。每月我都到北平来，在来今雨轩举行个二三十人的茶会，一半为了组稿，一半也为了听取《文艺》支持者们的意见。小姐几乎每次必到，而且席间必有一番宏论。

1936 年我调到上海，同时编沪津两地的《文艺》。那是我一生从事文艺编辑工作最紧张、最兴奋，也是最热闹的一年。那时，我三天两头地利用"答辞"栏同副刊的作者和读者交谈。为了使版面活跃，还不断开辟各种专栏。我干得尤其起劲的，是从理论到实践去推广书评。什么好作品一问世，无论是《日出》还是《宝马》，我都先在刊物上组织笔谈，然后再请作者写创作那部作品的经验——通常一登就是整版。我搞的那些尝试，徽因都热烈支持，并且积极参加。

那一年，我借《大公报》创刊十周年纪念的机会，除了举办文艺奖金，还想从《文艺》已刊的作品中，编一本《大公报小说选》。谁来编？只有徽因最适当。因为从副刊创办那天起，她就每一期都逐篇看，看得认真仔细。我写信去邀请，她马上慨然答应了，并且很快就把选目寄到上海。她一共选了三十篇小说，有的当时已是全国闻名的作家了，如蹇先艾、沙汀、老舍、李健吾、张天翼、凌叔华，有的如宋翰迟、杨宝琴、程万孚、隽闻、威深等，当时并不大为人所知。

她还为这本选集写了一篇"题记"，其中她指责有些作家"撇开自己熟识的生活不写，因而显露出创造力的缺乏或艺术性的不真纯"。她号召作家们应"更有个性，更真诚地来刻画这多方面的错综复杂的人生，不拘泥于任何一个角度"。她还强调作品最主要的是诚实，她认为诚实比题材新鲜、结构完整和文字的流丽更为重要。[1]

---

[1] 见《大公报文艺丛刊·小说选》，上海大公报社 1936 年 8 月版。

记得 1936 年她向良友公司出版的《短篇佳作集》推荐我的《矮檐》[1]时，曾给我写过一封长信，谈这个"诚实"问题。可惜所有她的信都于 1966 年 8 月化为灰烬了。这里我只好借用她在 1936 年 5 月 7 日从北平写给她的美国好友费正清夫人（威尔玛）的一封信[2]：

> 　　对，我了解你对工作的态度，我也正是那样工作，虽然有时和你不尽相同。每当一个作品纯粹是我对生活的热爱的产物时，我就会写得最好。它必须是从我的心坎里爆发出来的，不论是喜还是悲。必得是由于我迫切需要表现它才写的，是我所发觉或熟知的，要么是我经过思考才了解到的，而我又十分认真、诚恳地想把它传达给旁人的。对我来说，"读者"并不是"公众"，而是比戚友更能了解我，和我更具有同感的；他们很渴望听我的诉说，并且在听了之后，会喜，会悲。

---

[1] 见《二十人所选一九三七年短篇佳作集》，上海良友公司 1937 年版。花城出版社 1982 年重印本。

[2] 感谢威尔玛，最近她不但把她写的《梁思成小传》寄给了我，并且还为我复制了若干封林徽因给他们夫妇的信。我在下边还将引用。从这些信中，我还看到徽因的英文写得真漂亮，费正清夫妇也这么称道。

从 80 年代张辛欣的小说看，家务同妇女的事业心之间的矛盾，似乎是永恒的。在同一封信里，30 年代的女作家林徽因也正为此而苦恼着：

> 每当我做些家务活儿时，我总觉得太可惜了，觉得我是在冷落了一些素昧平生但更有意思、更为重要的人们。于是，我赶快干完手边的活儿，以便去同他们"谈心"。倘若家务活儿老干不完，并且一桩桩地不断添新的，我就会烦躁起来。所以我一向搞不好家务，因为我的心总一半在旁处，并且一路上在咒诅我干着的活儿——然而我又很喜欢干这种家务，有时还干得格外出色。反之，每当我在认真写着点什么或从事着一项工作，同时意识到我在怠慢了家务，我就一点也不感到不安。老实说，我倒挺快活，觉得我很明智，觉得我是在做着一件更有意义的事。只有当孩子们生了病或减轻了体重时，我才难过起来。有时午夜扪心自问，又觉得对他们不公道。[1]

---

[1] 引自 1936 年 5 月 7 日林徽因致威尔玛函。

　　"七七"事变那天，当日本军人在卢沟桥全面发动侵略战争时，这对夫妇正在山西五台山一座古庙里工作着哪。徽因谈起来非常得意，因为那天是她从一座古寺的罩满灰尘和蜘网的梁上，发现了迄今保存得最完整的古老木结构的建造年月。

　　亲爱的北平践踏在侵略者的铁蹄之下了。思成和徽因当然绝不肯留在沦陷区。像当时北平的许许多多教授和学者一样，他们也逃出敌占区。

　　1937年深秋。我们见过一面，在武汉还是长沙，现在记不清了。当时我正失业，准备随杨振声师和沈先生去大西南后方。那时同住在一起的，记得还有丁西林、朱自清和赵太侔三位先辈。后来买到了汽车票，我们就经益阳去了沅陵。

　　我们去湘西后不久，长沙就开始被炸。那时，徽因同思成正好在那里。1937年11月她在致费正清夫妇的信中写道：

　　　　昨天是长沙第一次遭到空袭，我们住的房子被日本飞机炸了。炸弹就落在离我们住所的大门约十五码的地方。我们临时租了三间房。轰炸时，我妈妈、两个孩子、思成和我都在家，两个孩子还在床上生着病。我们对于会被炸，毫无准备，事先也完全没发任何警报。

　　谁也不知道我们怎么没被炸个血肉横飞。当我们听到落在左近的两颗炸弹的巨响时，我同思成就本能地各抱起一个孩子，赶紧奔向楼梯。随后，我们住的那幢房子就被炸得粉碎。还没走到底层，我就随着弹声摔下楼梯，怀里还抱着小弟。居然没受伤！这时，房子开始坍塌，长沙的大门、板壁甚至天花板上都嵌有玻璃，碎片向我们身上坠落。我们赶紧冲出旁门——幸而院墙没倒塌。我们逃到街上。这时四处黑烟弥漫。

　　当我们正扑向清华、北大、南开三家大学合挖的临时防空壕时，空中又投下一颗炸弹。我们停下了脚步，心想这回准跑不掉了。我们宁愿一家人在一起经历这场悲剧，也不能走单了。这颗炸弹落在我们正跑着的巷子尽头，但并没爆炸。我们就从碎玻璃碴里把所有的衣物（如今已剩不下几件了）刨了出来，目前正东一处西一处地在朋友们家里借住。

抗战期间，有个短时期我们曾同住在大后方的昆明。当时，我同杨振声师、沈从文先生住在北门街，徽因、思成和张奚若等人则住在翠湖边上。她有个弟弟在空军里。那时，她家里的常客多是些年轻的飞行员。徽因就像往时谈论文学作品那样充满激情地谈论着空军英雄们的事迹。我也正是在她的鼓励下，写了《刘粹刚之死》。

1938年夏天我去香港继续编《文艺》，她仍然遥遥地给我指点和支持。1939年，我去英国了，这一别就是七年。

1947年我从上海飞到北平。事先她写信来说，一定得留一个整天给她。于是，我去清华园探望她了。

当年清华管总务的可真细心，真爱护读书人。老远就看到梁思成住宅前竖了块一人高的木牌，上面大致写的是：这里住着一位病人，遵医嘱她需要静养，过往行人幸勿喧哗。然而这位"病人"却经常在家里接待宾客，一开讲就滔滔不绝。

徽因早年在英国读过书，对那里的一切她都熟稔、关切。我们真的足足聊了一个整天。

徽因是极重友情的。关于我在东方学院教的什么，在剑桥学的什么，在西欧战场上的经历，她都一一问到了，而她也把别后八年她们一家人的经历，不厌其详地讲给我听。

最令她伤心的一件事是：1937年她们举家南下逃难时，把多年来辛辛苦苦踏访各地拍下的古建筑底片，全部存在天津一家银行里。那是思成和她用汗水换来的珍贵无比的学术成果。她告诉我，再也没有想到，天津发大水时，它们统统被泡坏了。

170

　　关于友情，这里我想再引徽因在胜利后返平之前，1946 年 2 月 29 日从昆明写给威尔玛的信：

　　　　我终于又来到了昆明！我来这里是为了三件事，至少有一桩总算彻底实现了。你知道，我是为了把病治好而来的。其次，是来看看这个天朗气清、熏风和畅、遍地鲜花、五光十色的城市。最后但并非最不关紧要的，是同我的老友们相聚，好好聊聊。前两个目的还未实现，因为我的病情并未好转，甚至比在重庆时更厉害了——一到昆明我就卧床不起。但最后一桩我享受到的远远超过我的预想。几天来我所过的是真正舒畅而愉快的日子，是我独自住在李庄时所不敢奢望的。

　　　　我花了十一天的工夫才充分了解到处于特殊境遇的朋友们在昆明是怎样生活的，……加深了我们久别后相互之间的了解。没用多少时间，彼此之间的感情就重建起来并加深了。我们用两天时间交谈了各人的生活状况、情操和思想。也畅叙了各自对国家大事的看法，还谈了各人家庭经济以及前后方个人和社会的状况。尽管谈得漫无边际，我们几个人（张奚若、钱端升、老金和我）之间也总有着一股相互信任和关

切的暖流。更不用说，忽然能重聚的难忘时刻所给予我们每
个人的喜悦和激奋。

对于胜利后国民党发动内战，徽因是深恶痛绝的。写这封信
之前不久，她在1946年1月从重庆写给费正清的一封信里，谈到
自己当时的悲愤之情：

> 正因为中国是我的祖国，长期以来看到它遭受这样那样
> 的雁难，心如刀割。我也在同它一道受难。这些年来，我忍
> 受了深重的苦难。一个人毕生经历了一场接一场的革命，一
> 点也不轻松。正因为如此，每当我察觉有人把涉及千百万人
> 生死存亡的事等闲视之时，就无论如何也不能饶恕他……我
> 作为一个"战争中受伤的人"，行动不能自如，心情有时很
> 躁。我卧床等了四年，一心盼着这个"胜利日"。接下去是什
> 么样，我可没去想。我不敢多想。如今，胜利果然到来了，
> 却又要打内战，一场旷日持久的消耗战。我很可能活不到和
> 平的那一天了（也可以说，我依稀间一直在盼望着它的到
> 来）。我在疾病的折磨中就这么焦灼烦躁地死去，真是太惨
> 了。

从这段话不难推想出，1946 年徽因看到了民族的翻身，人民的解放，是怎样的喜出望外。

开国前夕，我从香港赶到北平。当时思成和徽因正在投入国徽的设计。他们住在清华园，每天都得进城来开会。幸而思成当时有辆小型轿车。他的残疾就是在美国留学时遇上车祸造成的，但他并没有因此害怕开车。两个人就这样满怀激情，在为着革命大业而发挥着他们的才智。

我同徽因最后一次见面，是在二次文代会上。有一天在会场上，她老远向我招手。我坐到她身边，握握她的手，叫了她一声："小姐"。她不胜感慨地说："哎呀，还小姐哪，都老成什么样子啦！"语调怪伤感的。我安慰她说："精神不老，就永远也不会老。"

但仅仅过了一年，噩耗就传来了。

这位出身书香门第，天资禀赋非凡，又受到高深教育的一代才女，生在多灾多难的岁月里，一辈子病魔缠身，战争期间颠沛流离，全国解放后只过了短短六年就溘然离去人间，怎能不令人心酸！我立即给思成去了一封吊唁信。思成的回信我原以为早已烧毁于 1966 年 8 月那场火灾，但据文洁若说，十一年前它曾奇迹般地重新出现了一次。

1973 年，文物局发还了一些十年动乱期间查抄的书物。当时我们全家人挤在东直门内一条小巷的一间八米斗室里，洁若也只得"以社为家"，住在办公室，还把家中堆不下的书也放在一只破柜子里。一天，她偶然发现一本书中夹着这封信，她还重读了一遍。信一共有两页，是用蝇头小楷直书的，字迹非常工整。思成首先感谢我对他的慰问，并说他一直在害病，所以拖了这么久才写回信。徽因与世长辞时，他也正住在同仁医院，躺在她隔壁的病房里。信中以无限哀思回忆了他们共同生活和工作过来的几十年，是一位丈夫对亡妻真诚而感人的赞颂。可惜这次动手写此文时，怎么也没找到这封珍贵的信。

1983 年我第三次访美之际，除了在圣迭戈承卓以玉送来徽因年轻时的照片两帧，又蒙费正清赠我一本他的《五十年回忆录》，其中有一段描绘抗战期间他去李庄访问思成和徽因的情景。

徽因瘦极了，但依旧那么充满活力，并且在操持着家务，因为什么事她都比旁人先想到。饭菜一样样端上。然后，我们就聊起来。主要是听徽因一个人谈。傍晚五点半，就得靠一支蜡烛或者一盏油灯来生活了。八点半就只好上床去睡觉。没有电话，只有一架留声机和几张贝多芬、莫扎特的唱片。

有热水瓶，可没有咖啡。毛衣也不少，就是没有一件合身的。有被单，但缺少洗涤的肥皂。有笔，可没有纸。有报纸，可都是几天以前的。

最后，费正清慨叹道：

住了一个星期，大部分时间我都在患重感冒，只好躺在床上。我深深被我这两位朋友的坚毅精神所感动。在那样艰苦的条件下，他们仍继续做学问。倘若是美国人，我相信他们早已丢开书本，把精力放在改善生活境遇上去了。然而这些受过高等教育的中国人却能完全安于过这种农民的原始生活，坚持从事他们的工作。[1]

现在要出版的《林徽因文集》里所收的作品，从数量上来说，同徽因从事文艺写作的漫长岁月确实是很不相称的。一方面，这是由于她一生花了不少时间去当拉拉队，鼓励旁人写，另一方面，也是因为她的兴趣广泛，文艺不过是其中之一。她在英

---

[1] 见费正清所著《五十年回忆录》（*China Bound*，*A Fifty Year Memoir*），第229页，哈佛哈佩尔及劳出版社1982年版。

美都学过建筑，在耶鲁大学还从名师贝克尔教授攻过舞台设计。我在她家里曾见过她画的水彩，1935年秋天曹禺在天津主演莫里哀的《悭吝人》时，是她担任的设计。

我不懂建筑学，但我隐约觉得徽因更大的贡献，也许是在这一方面，而且她是位真正的无名英雄！试想以她那样老早就被医生宣布患有绝症的瘦弱女子，却不顾自己的健康状况，陪伴思成在当时极为落后的穷乡僻壤四出奔走，坐骡车，住鸡毛小店，根据地方县志的记载去寻访早已被人们遗忘了的荒寺古庙。一个患有残疾，一个身染重疴，这对热爱祖国文化遗产的夫妇就在那些年久失修、罩满积年尘埃的庙宇里，爬上爬下（梁柱多已腐朽，到处飞着蝙蝠）去丈量，测绘，探索我国古代建筑的营造法式。威尔玛在她的《梁思成小传》中曾引用梁思成于1941年所写而从未发表过的小结说：截至1941年，梁思成所主持的营造学社已经踏访了十五个省份里的两百个县，实地精细地研究了两千座古建筑，其中很大一部分林徽因大概都参加了的。

徽因的这些作品，有一部分是我经手发表的，如《模影零篇》。我不懂诗，但我十分爱读她的诗。她的小说，半个世纪前读的，至今仍留有深刻印象。这里，我再一次表示遗憾：她写得太少、太少了。每逢我聆听她对文学、对艺术、对社会生活的细腻观察和精辟见解时，我心里就常想：倘若这位述而不作的小姐能像18 世纪英国的约翰逊博士那样，身边也有一位博斯韦尔，把她那些充满机智、饶有风趣的话——记载下来，那该是多么精彩的一部书啊！

1984 年 7 月 3 日

（原载《读书》，1984 年第 10 期。）

悼　健　吾

从健吾自己来说，他几乎完全没有受到病魔的折磨就悄然离去，是造化；但是，对他的亲人和朋友们，这个不幸来得突兀到了残酷的地步。听到他的噩耗几个小时后，正在悲恸，竟然还接到了他这封信——说不定是他的绝笔之作了。这是 23 日写后寄到天坛，又转到我开会的地点的。

9 月里一天，他来看我。那天刚好姜德明也在。不知道什么时候健吾照起相来了。他从包包里掏出一只照相机，就在我那间光线十分暗的房间里照了起来。他兴致真好。先是一个个地照，然后又合照，并且很快就把照片洗好寄了来。望到他紧紧搂着我的那张，深深感到一位兄长的温暖。

10 月间我又进了友谊医院。两年来是第三次上手术台了，这回是小手术。健吾老远跑到天坛去看我。知道我住院后，又立即折到医院，拉着我的手，问长问短。我比他还小上几岁，承他换几次公共汽车来看我，我心里着实不安。我们谈起一些故人（杨今甫师、林徽因等的作品应有人来整理出集的问题），谈到他最近去西安开外国文学会议。他听说我曾向广州花城出版社建议重印他的两本《咀华集》，而且很快就要出版了，十分高兴。我则劝他千万再也不要这么挤公共汽车来看朋友了。告诉他，我曾两次下车时被挤倒在地，有朋友的胸骨还被挤折过。我建议我们还是多靠书信来相互问候、鼓励吧。接着，他问起中央戏剧学院在排演我译的《培尔·金特》（易卜生）的事，并表示公演——甚至彩排时，愿意来看。那天是探视的日子，又来了位朋友，他就匆匆辞去了。我一直把他送到病房走廊的尽头，还一再劝他务必多多保重，不要过多地跑动。万万没想到，那就是我们最后的一面，最后的一次握手！

出院后，为了实践“书信问候”这个建议，我没去回访，而给他写了封信，告诉他小林刚刚来信，说巴金不需要开刀了，相信这个好消息也会给他不少快乐。我还送了张近照作为纪念。所以他来信时，也回赠了我一张。朋友到了晚年，好像都伤感了一些。我写这短文时，健吾赠我的照片就正倚着我的案头日历在望着我。我好像从他的眼神里仍看到他那独特的机智、俏皮、风趣和富有感染性的活力。

30年代初期，我开始写作，健吾是我的老师之一。他为人爽朗、热情，艺术上有见解，他既搞创作（戏剧、小说、散文、短评都写），又搞外国文学；而且在外国文学方面，他也是既从事作品翻译，又进行研究。他对福楼拜，是下了工夫的。学问那么渊博，那么有才华，文笔那么洒脱漂亮，对朋友始终这么热情，真是不多的。

十年浩劫后，1978年在天坛见到他，那时他气喘得上不了三层楼。1981年，上海的老友辛笛兄来信说健吾夫妇在上海，要与他们夫妇同游苏杭雁荡，约我同往。我当时正同病魔搏斗，哪里去得成！但听说健吾从上不了三层楼而能去游雁荡了，真是无限高兴。又听说他已成了气功大师。后来听说他还去了黄山、峨嵋，颇有古稀之年要游遍名山之势。我一方面钦佩他这种雄心壮志，同时，暗自也为他捏了一把汗。

上个月，我还祝愿他再活二三十年，再写上十五年呢，不想他就这么与我们诀别了。

春间，甘肃的李采臣兄来访时，曾告我健吾的文集已大致整理出来了。这是聊可告慰的事。但如假以天年，健吾一定还可以为祖国文艺事业做更多更出色的贡献的。我尤其感到可惜的是，健吾没有多留下些总结他个人创作和翻译经验方面的文章。50 年代，我知道他曾去上海为苏联学者讲授过中国古典戏曲。想必他还留有这方面的讲稿。他是很有些可谈的，特别是关于戏剧创作以及他从事过的那种"心灵的探险"式的评论。我每次见到他（例如年初在《文艺报》关于散文的座谈会上），总是竭力怂恿他。不知他是出于谦虚还是另有更重要的工作在手，总也没看到过他朝这个方面动笔。现在只有希望旁的朋友来代劳了。

健吾虽去，但他在文学创作上的成就，他对外国文学介绍的功绩，将是永不可磨灭的。

1982 年 11 月 30 日赶写于友谊宾馆

附健吾遗书

乾兄

收到信与相片。巴兄[1]病情弟回京后始知。马绍弥[2]已去上海服侍放心多了。你鼓励我的话[3]，不敢当。老了，不行了，走下坡了。你去新加坡，如果看不到你翻译的剧作的演出，太可惜了。我回京后，患感冒，医生禁止出屋子。到时如病好，当勉强自己去看演出[4]。多时不看戏了。谢谢你的照片，附一张。并祝你夫妻与家人。

健 吾

1982 年 11 月 23 日

（原载《光明日报》，1982 年 12 月 4 日。）

---

[1] 巴兄即巴金。

[2] 罗淑及马宗融的儿子。

[3] 我在信中提起 50 年代他为《人民日报》八版所写的关于川剧《望江楼》演出的评论，至今仍留有很深印象。

[4] 指《培尔·金特》。

心　债

人到老年，往事如烟，我常想起一生最大的一件恨事：对王树藏的遗弃。

将近六十年前，纯粹由于我的过失，造成我们婚姻的破裂。我远走高飞了，害得她跌入感情的深渊。

1935年秋，天津《大公报》安排我同画家赵望云去鲁西采访水灾：他画我写。我们先到省会济南，接好关系就深入灾区。白天我们走访灾区，晚上就睡在小客栈里。他的速写和我的文学特写都同时发表在《大公报》上。随后，接到各方大批捐款，报社还为之成立了赈款委员会。

当时我还是个单身汉。望云是河北束鹿县人。我是通过他认识王树藏的。第一次见面是在北海濠濮间。她人长得清秀，戴着一副近视眼镜，性格内向，温和善良。后来知道她出生不久，母亲就撒手人寰。两年前，她父亲续弦，后母只大她几岁，还添了个弟弟。树藏一直渴望自己能出去闯荡世界。她结婚，就是为了摆脱家庭的桎梏。我呢，则由于从小没了家，很迫切地想建立起自己的家。可是当她表示婚后想去东京读书时，我还是竭力支持，并且答应可以给她介绍些留日友人。

树藏还在高中时，就是抗日救国运动的积极分子。"一二·九"的次日，我由天津赶回北平，并陪斯诺夫妇走访几家医院，看望"一二·九"游行中受伤的同学。斯诺夫妇不但参加了游行，还及时向国外作了报道。

那一天傍晚，我去学校看望了王树藏。她躺在宿舍的床上，头上缠着纱带，渗出血迹。她告诉我是同学们把她挽回来的，她讲得更多的是游行的声势浩大，和对反动派的愤慨。

回天津后，我根据自己在北平的见闻，挥笔疾书，以燕国为背景，写了《栗子》。恰好1934年秋，我曾以女学生因参加爱国游行而被军警殴伤为题材，写过一篇《小树叶》，可以配合"一二·九"运动。文章发表在1935年12月30日的《大公报·文艺》上。从此，"小树叶"就成为我对树藏的昵称。

1936年夏，由树藏那位住在南京的叔叔主持，我们在中央饭店正式举行了婚礼。当时她十九岁。婚后不久，她就照原来计划的，去东京留学了，我则重新过起单身生活。

卢沟桥事变后，我给"小树叶"接连发了三封电报。她好容易找到船位赶回上海。当时，《大公报》已由十六版缩为四版，大批工作人员被遣散，我这个《文艺》编辑当然也得走人。还发了半个月的工资，作为路费。

我与"小树叶"离开了上海，经香港、武汉最后到了昆明。从那里，我还遥编过一阵《文艺》。

这时，"小树叶"已进了西南联大。巴金在《火》中所写的三位女性就是以树藏、萧珊和杨苡为原型的。

1938 年 8 月，我接到一封电报，告我《大公报》将出香港版，要我立即启程去港，并汇来旅费。我当时困居昆明，接到电报自是欢喜万分。"小树叶"看到我那么兴奋，十分不悦。

几天后，我就和施蛰存结伴，经河内前往香港。我又搞起《大公报·文艺》，并努力把它编成抗日宣传阵地。当时，香港属英国，它与日本还是"同盟"国。版面几乎天天遭到检查官的干涉。我把"东洋"一律排成"×洋"。就连这样，刊物几乎每天都"开天窗"（排好后被检查官部分删去），有时新闻检查官甚至在整个版面上都打了个大红叉叉。

那时我很想找人学学法语。听说九龙有一位法语区的瑞士教授福莱正在找人互教法语和北京话，我就同他接上关系。

第一天上课到一半时，他说休息一下。他有位华人干女儿，是钢琴家。她就为我们端上茶来。原来她还是我的读者，对我的小说人物都十分熟悉。当时，我立即被她吸引住了。但我立刻想到"小树叶"，就警惕了。

同她见了两面之后，我为了保护自己的家庭，就把刊物交给李驰，设法离开香港，并陪老友黄浩由汕头去岭东漂荡。他是奉华北游击队之命，南下募捐的。我们跑了潮安、普宁等好几个县，我还写了一批速写。但是怎样也没能把雪妮的影子从我心底赶走。

回香港之后，我又禁不住去看她。我知道这不是办法，就向老板讨了个任务，回昆明去采访正在修筑的滇缅路。我从昆明前往大理、龙陵、芒市，一直跑到缅甸的拉成。回到昆明，依旧未能把雪妮抛到脑后。

幸而回到香港就接到伦敦大学东方学院的聘函，邀我去那里教书。就这样，我与雪妮在九龙诀别了。这之前，由昆明赶来的"小树叶"已乘船回去了。1939年9月1日，我登上开往马赛的"阿拉米斯"号轮。那天，接替我在《大公报》职务的杨刚也来送行。她和穿了紫衫的雪妮一直目送轮船出港。

186

　　"小树叶"在香港本来已同意离婚。但我要她回昆明后考虑成熟了再给我回话。

　　到昆明后她变卦了。回电说：坚决不离。

　　所以在英伦七年，我的护照始终是"已婚"身份。

　　1940年，雪妮跟她那位瑞士干爹福莱去了日内瓦。巴黎沦陷前，每月还交换一下信。后来整个欧洲大陆与英伦三岛断绝了交通。巴黎解放后，我去大陆采访，并顺便去日内瓦看望了福莱教授，才知道他那位义女雪妮早已结了婚。从照片看，她已浓妆艳抹，戴上大耳坠子，成为一位雍容华贵的夫人了。我顿时感到幻灭。我愿只保留她当年身着水兵服的少女形象。

　　现在回想起来，我被雪妮所吸引纯然是盲目的。她是阔小姐，我是穷小子，凑不到一块儿。凑上，也终必散伙。遗弃了"小树叶"，是我的终身恨事。

　　其实，朋友们当初都不赞成我这么做。挚友巴金那时也在香港。有一次我同他在九龙码头分手时，对他说，我要在这儿跟雪妮相会，她马上就来，问他要不要见一面。他断然拒绝了。

　　杨刚表面上对雪妮客客气气，私下里却向我表示不喜欢像她那样洋气十足的女人。

　　战后，听朋友说，"小树叶"已经跟一位志同道合的人结了婚，组织起了一个幸福的家庭，有了几个孩子。我才于1946年回国后，在上海同谢格温结了婚。然而天网恢恢，不出一年，我好容易建立起的家庭又被一个歹人破坏。我遭到了报应。直到1954年与洁若结缡，我才有了个安定的家，身心有了归宿。树藏的好友杨苡在90年代一个晚上光临寒舍，对我说，现在我原谅你了。

解放初期，我听说树藏在北京工作，所以每逢在街头看到与她长得相像的同志，我心里就紧张起来，惭愧之至。"文革"期间通过外调，我才知道她好像去过延安，60年代中叶在哈尔滨任职。

改革开放后，我从老友巴金那里知道她在"文革"中被残酷斗争，竟成了"植物人"。我当时叹气说，是我害的她。巴金开导我说，你们是几十年前的老账了。树藏这笔账应该算在"四人帮"和他们的爪牙身上。

后来树藏的弟弟还来找我为他的儿子开过介绍信。我当然开了。说起来我还曾是他的姐夫！

后来我多次写信谈到婚姻不可只凭感情。为了持久，还要看有没有共同点。由于我的自私、任性，害得"小树叶"好苦。我是罪孽深重！

我本应受到惩罚。但命运对我还是很宽厚，使我有了洁若这位知音，这位人生好伴侣。

人，可惜只能活一辈子。我劝青年读者：感情这件事，千万大意不得！

她的死虽然与我没有直接关系，但那并不能减弱我对她的负疚心情。

1998 年 6 月 1 日，于北京医院

（原载《美文》，1998 年第 9 期。）

三姐常韦

一

　　在死的问题上，离去的与依然留在世间的，立场原来并不尽同。

　　我一直在羡慕、企盼那种突然的、毫无预感、既不折磨人、自己也不受折磨的死。至今，也依然在企盼着这样的死。然而当常韦三姐那么突然间弃我们而去时，我才体会到对于活着的家人，那样干脆的死比积年累月地缠绵病榻而后再辞世更加难以忍受。三年困难，十年浩劫，挨斗，抄家，地震；在大杂院，在门洞，她一直同我们共患难，并照顾着我们。我们巴不得在她生前，也能为她尽些绵力，哪怕伺候她几年也好。可转而一想，那又实在太自私了！难道为了让我们心安，就宁可让她多受些痛苦吗？她能这么不呻吟一声就悄然而去，正是她一生修到的造化。

三姐对我不是一般的妻姐。她同我们共过二十几年患难。80年代以来，我们三人时常庆幸能一道安度幸福的晚年。（用她的话来说是：“从来没过过这么好的日子。”这里，“从来”也包括她的少女时代。因为当初纯粹是由于进不起好医院，她的前途才被断送的。）当时，照年龄来排，该我先走，然后才是三姐。洁若还噘嘴说：“我送走了你们，谁送我呢？”我就安慰她说：“不是还有两位弟弟吗？”谁料到这在天公那里全乱了套！

三姐一生的悲剧，是从脚上开始的。她原是文家五个姑娘中，最活泼的一位。上辅仁大学三年级时，一次骑车伤了脚骨。那是1941年的事。当时如果马上送入协和，不难治愈。怎奈正赶上她父亲失业，竟由日本同仁医院的实习大夫开的刀。谁知由于碎骨未取尽，脚踝上留下几个活伤口，根本不能走路了。这么一次失败的手术害得她十七年卧床不起。1949年她的同学纷纷进革大受洗礼，一个个当上干部，她却只能眼睁睁地落伍。在婚姻上，她也因而始终高不成低不就地落了空。每逢看到她坐在堂屋细心地为洁若的译稿编页码时我就想：她既然能大本大本地看原文（如狄更斯的）小说，本来也可以在外文部当个编辑呢！真是一失足成千古恨。

她十分热爱生活。她原打算活得很长很长的。她喜欢丝绸和毛线，遇到可心的颜色和质地好的就买回来。甚至国外一种洗假牙的药片，都存了几大盒。

不论小动物还是植物，一切活的东西，她都爱。我们二人最大的共同爱好是花。70年代初住在一个大杂院时，我们每月日子过得挺紧。一天，她竟花十几元钱买了一盆开得十分漂亮的绣球。我们的住房把着大门口。她把花放在门前，供同院五十多口子欣赏。她尤其爱插枝，大概一是可以看到植物的繁殖，二是便于送人。单是文竹她就不知插了几十盆。谁一夸，甚至仅只多看两眼，她就给包上带走了。住在豆嘴胡同时，有个小跨院，她年年种上二三十棵玉米。成熟后，自己一个也舍不得吃，全给了孩子。

她去世后整理她的遗物时，洁若发现她珍藏着四十几年来家人给她写的信，其中有一封是1970年10月14日我从咸宁干校致她的长信。信中还附了一张全家福，个个脸上充满了惧色。我在信中告诉她："咸宁县城离我们所在的王六嘴足足有二十里。每次去县城，四点就一定得往回走。那天全家人洗完温泉，到咸宁就已四点了。原以为照相可随到随照。可是我们拿到的是七十几号，当时刚照到三十几号。如果等老乡照完我们再照，那就半夜也回不去。所以我就死死地央求照相馆和老乡让我们夹夹塞。照时我们神色紧张，一是怕老乡抗议我们夹塞，把我们赶下来。二是怕照相馆变卦。因此，神色才那么紧张。"这当然是为了让她放心。

信中我还谈到干校那时的生活。"我们近十天在插秧。早五点就爬起，天黑才回来。整天猫着腰，泡在水里。幸亏我们有设备：买了水田鞋，所以还不太凉，也扎不了脚。我把皮背心、毛背心、大小毛衣全穿上，外加皮猴，所以算是十分优越了。"

我们下干校之后，街道勒令三姐到砖窑去劳动。这样，累是很累，却打破了她生活的孤寂。在一封信里，她谈及结婚的可能。洁若和我都对她给予了鼓励。我在信中说："我们是休戚相关的。只有你也幸福了，我们才能真正幸福。如果你孤独，我们家的团聚也不是完整的。我们来湖北后，就常想到你一个人守在南沟沿——尤其春节的时候。从十几年相处中，以及从洁若平时谈到你的早年生活，我知道你是聪明人，能干人，心胸宽阔，有自我牺牲精神。但你的一生是不幸的。为了帮助二姐冲破封建桎梏，走向幸福，你挨过重打。最不幸的是你的脚疾。不然，1949年后你本也应成为干部，而且会是很认真勤快的干部。1962年你就曾想去教英文，把你在大学里学到的东西贡献出来。你只是缺了张文凭！"

1979年后，洁若和我多次出国。我们从没有一点后顾之忧。每一次三姐都给送机场的司机同志准备好一份丰盛的早餐。不论我们在国外转悠多少时日，回到家里总是一切井然。一进家门，我就先去观赏那百十来盆花：都养得茂茂盛盛的。再去看看阳台那几只乌龟，也都安然无恙。书桌一端是一大摞报纸，另一端是邮件。电话机旁，留言簿上写得满满的。

更重要的是近十几年间，由于三姐把家务承担下来，我们二人才能埋头著译。我们称她作"台柱子"，她是当之无愧的。我们也尽可能让她过得充实如意。1986年她住院割痔疮那次，是洁若送她去，大弟学朴带着女儿小黎雇辆出租车接她出院。我和洁若利用这几天时间，把三姐那个单元二室一厅的地面全涂上了红漆。我们只希望用我们的劳动为三姐改善环境，让她高兴一下。当然，我只涂了不到五平米，腰疾就犯了；主要是洁若干的，我打杂。那一天饭都没来得及做，还是打电话请学朴买些包子送来。待油漆干了，我们为她铺上了天蓝色地毯。

三姐的房间里，除了书就是花。

挨着她床的那面墙上钉着漆成白色的四层书架，上面摆满了她爱读的书和杂志。这里有显克微支《你往何处去？》的英译本和查理斯《修院与家灶》的英文原著，是我们1986年访美时，老三桐儿托我们带给三姨的。还有两部狄更斯原著，以及阿瑟·魏理的《源氏物语》英译本。中文书绝大部分是新时期以来的中长篇。王火的《月落乌啼霜满天》等厚厚的三大部，她是一字不漏地读完的，还不止一次地说："这是近年来读到的最使我感动的作品。"洁若读得没有三姐那么细，但也大致能说出故事情节。一连好几天，姐妹俩都在饭桌上谈那个"养鸽子的少年"，并为作者王火因救一个小女孩撞伤一只眼，而未能按原定计划继续写下去，表示惋惜。至于杂志，《当代》、《收获》、《随笔》、《读书》、《人物》等都从创刊号排起，她还珍藏着停刊了的《文汇月刊》。床头柜上则堆着实用书：《毛线新针法》、《营养学》、《厨房大全》。她还根据我的特殊情况买了本《药用食谱》，记下肾疾患者宜吃什么，忌什么。所以她总千方百计地为我买到芋头和山药。

三姐爱花，更爱与花留影。1990年1月底，她精心培养的君子兰开了十几朵，洁若马上去买来了胶卷，为姐姐拍了三张照片。去年11月，摄影家李荣增为她和花卉公司借给我们观赏的一种叫不出名字的粉红色花儿照了一张相，她戴着桐儿送给她的七十寿辰礼品——金项链，神态安详端庄。她立即把这张照片寄给哈尔滨的和新——她少女时代以来最要好的堂姐。洁若托李荣增又加洗了三张，是我把照片送到她手里的。她高兴得像小孩儿似的来回把玩照片，并念叨和新为什么还没有回信。她总是担心着和新的健康，没有想到，跟我说这番话后，不出三十个小时，她本人竟遽然离去！

1984年秋，我在晋谒挪威国王奥拉夫五世时看到了他那间著名的"绿厅"，回来对三姐说，呆在那儿就像是置身于大森林中。她听得兴致勃勃。不知是否受了我这番介绍的影响，几年来她真把她那个单元变成了绿色世界。1984年我们从北威尔士波特美朗半岛给她带回三节橡胶树嫩枝，她给培植得比人还高了。入冬，尽管阳台是封闭的，她总要用力把它们拖进屋里，生怕冻坏了。我用国外友人送的大包大包的花籽向花卉单位换来上百盆的花。这些，挤满了阳台。她特别心爱的则放在室内的五斗柜和床头小圆桌上。连顶棚上都爬满了绿藤。1986年我们在纽约时，一天接到她一封来信，告诉我们："昨天晚上十一点，昙花开了。我一直守到午夜两点，看它合上瓣。"去年，黄伟经、刘静兰伉俪来访时，听说三姐的昙花刚好开了，还特地为她和昙花留了影。

如今，爱花人殒去，花草对我们也失去了光彩。

二

同洁若结婚前，我们常在文化宫前院一座小亭子的石阶上交谈，一坐就是两三个小时。谈的主要是各人的经历和抱负。我告诉她：我虽结过三次婚，可一生没有过真正的家。我渴望有个窝。我自己真正是光杆一人。她那时有慈祥的妈妈，两个弟弟。大姐在海外，嫁了位美国农学教授；还有一位就是卧病在床的三姐。她说："三姐是我的生命。"这话重得当时使我大吃一惊，后来证明事情确实是如此。

于是，我告诉她，我也有位姐姐——大堂姐，但她是我半个母亲。我十岁上丧母，妈妈生前一直在外佣工，所以全靠这位老姐姐操持：每天早晨催我起床，替我缝缝补补。妈妈去世后，直到十六岁上我同堂兄决裂，生活上也多亏了她。那以后，我也仍不时地硬着头皮去看她。洁若说，婚后她一定帮我好好地照顾老姐姐。我们曾把她接到作家协会宿舍来住过。令我难过的是当我真正过起好日子时，她早已不在人间了。老姐姐是1960年4月去世的，当时我正在唐山柏各庄农场劳动。接到洁若的信，我倒在草垛上痛哭了一场。还是洁若代我送的葬。1961年6月回城，第一件事就是骑车去八宝山，在她坟前又大哭一场，给她磕了三个头。

1954年我娶了文洁若，同时我也"嫁"到了文家。我还记得婚前我头一次去东四八条拜见未来的岳母时的情景。真是个实实在在的人家，不讲客套。岳母（后来我也跟着洁若称她作"太太"了）并没东盘西问，情况想必洁若早已都说了。菜肴很丰盛，自然是贵州口味。只是席间出现一个令我感到十分尴尬的场面：我们刚拿起筷子，三姐突然说："吃饭的时候别说话！"我听了一愣。心想：洁若这位姐姐可真怪，脾气好不了。但我注意到洁若的妈妈仍若无其事地给我布菜，谈话也并未中止，我的神经也就松弛下来。洁若送我走时，悄悄地向我解释说，三姐多年受脚疾折磨，有时脾气怪些，可是她有一颗金子般的心，要我千万不要介意。在日后同三姐相处的岁月里，证明她确实是那样，真是知姐莫如妹。

1955年1月，女儿诞生后，三姐就主动提出要帮助我们带娃娃。于是，荔子出生后五天就从隆福医院直接被送到八条。当时三姐还架着双拐，她参考大姐从美国寄来的《育儿手册》，用牛奶、橘汁、西红柿汁什么的，把娃娃喂得十分健康。

当然，洁若最大的宿愿是为三姐治脚疾。1956年6月，她终于在万明路市立第一医院找到一位有经验的大夫。说是比这难得多的手术他都不知道做过多少次，成功率达百分之九十五。 是我蹬着自行车，给三姐雇辆三轮，送她去住院的。手术是分两次进行的。首先把十五年前那次失败的手术留下的碎骨取尽，待皮肉长好后，又取下一小片大腿骨，对脚踝进行矫形手术。1958 年 6 月，三姐终于甩掉双拐，重新用自己的脚走路了。洁若有了自己的家，有了子女，很自然地希望三姐也能找到幸福。 所以自从三姐的脚疾治愈后，洁若曾数次为她介绍对象。她在泥玩具厂的一些同事以及亲戚朋友，也替她张罗过。 矛盾就在于高不成低不就。

三姐毕竟是位读书人。由孔德、圣心，上了辅仁西语系三年级才伤了脚。正因为她本人只差那么一年多未能拿到文凭，她对学历也就格外重视。她心目中有个起码的标准，甚至理想。于是，一个永恒的矛盾出现了：她偶尔看上一个，人家首先就嫌她走路有点跛，可找上门来向她提亲的（一直到1987 年还有），她又嫌人家"文化不高"。这方面本来大有可写。可是活人尚且讲究隐私权，对于死者，尤其是生前自尊心很强的三姐，我更不想去多写了。

三

1957 年那场风暴给许多家庭带来了莫大的灾难，一个个家庭就那么土崩瓦解了。多少朋友的婚姻都是在那个夏天触的礁，然而那场运动却真正奠定了我同洁若以及她一家人的感情基础。当时报纸在头版上用大号字揭批我这个"阶级敌人"。一夜之间，我不但在宿舍和机关里忽然成了毒蛇猛兽，就连在街上遇到曾经十分要好的朋友，对方竟吓得像见了瘟神似的，赶快躲开。这也怪不得谁。人总是要趋吉避凶的。当时同我打招呼，就可能随之而倒大楣。我已一下子变成个沾不得边儿的人了。

那时我虽一肚子委屈，对于世人怎么看我，辱骂我，其实并不在乎。1948年我在人生那个十字路口上作出选择时，毕竟早有过点心理准备。我是在多少预料到前景难保的情况下，做出抉择的。但我十分在乎文洁若和她一家人对我的态度。甚至可以说，他们不自觉地在决定着我的生死。倘若世上最后这根线断了，我就只有像许许多多人那样，自行堕入深渊。然而一旦大难临头，这一家人个个对我关怀备至，更加温暖。尤其是1958年初洁若下放到河北丰润县去劳动锻炼，紧接着我也于4月间前往滦县柏各庄农场。这时，太太和三姐答应替我们照看两个小的，住在机关集体宿舍的学朴（那时他尚未成家）则慨然答应让在小学住宿的老大到他那里去度周末和假期。

我是1961年6月回到北京的，在生活上立即遇到一个困难。

在农场，由于干重活儿，我每月的定量是五十五斤。顿顿是稻米，副食也充足。回城之后才知道，不干体力活儿的知识分子，定量最多是三十斤，每月只能买若干斤大米、白面，油肉也少得可怜。我们便用粗粮票到小饭铺去吃些炒面，总比吃窝头强一些。

一天，我到东四四条口一家小面馆去。我身上只带了二两粮票，几口就把叫来的那盘炒面扒拉光了。忽然，我面前又出现了一盘。原来三姐恰好也到这里来吃饭，看到我正狼吞虎咽的这副样子，就把她刚叫的一盘面推到我跟前，她只简短地说了句："我回家去吃。"

以后的三十年间，我多次向她提起那盘面，她只是抿着嘴淡然一笑。1979年以来，我在国内国外不知参加过多少次宴会，吃遍了山珍海味，但我永远忘不掉三姐那二两炒面。

1962年，也即是我回城的翌年，我们才把生活整顿好：在豆嘴胡同有了几间房可住。9月，女儿从幼儿园回到我们新安下的家。她上府学胡同小学，每天下学后，必先到八条去，把成绩拿给三姨看。三姨对荔子倾注了深沉的感情。不久，泥玩具厂下马了，她便索性把户口迁过来。一个小表妹搬去陪太太住。

三姐搬来后，我们的家确实像个样子了。除了孩子们的穿衣吃饭，她还抓他们的功课。荔子每天要练一个小时钢琴，又参加了什刹海的游泳班，弟弟桐儿则在幼儿园时，就对绘画发生了兴趣。有一次荔子在学校跳高，把脚脖子崴了。三姐马上带她到十条一家诊所去按摩，并且说："我这辈子就耽误在脚疾上了，可别让同样的事发生在孩子身上。"孩子们顺小儿什么都找三姨。"三姨，我这儿掉了个钮子。"于是，就给钉上了。"三姨，我饿啦。"于是，热腾腾的饭菜就摆在桌子上了。

洁若的分工是搞卫生和洗大件（她一直坚持到1983年买下洗衣机）。星期天她打发我和三姐带着孩子到北海划船，去中山公园看牡丹，她一个人在家洗。三姐回来后，对洁若说："瞧你弄得水漫金山啦。"

进入80年代，孩子们一个个地都远走高飞了。豆嘴胡同那几年，是最值得怀念的一段日子。

1962年开"神仙会"，上边鼓励大家畅所欲言，向党交心。当时在机关里，自己既然已入了另册，又吃过一次畅所欲言的大苦头，早已噤若寒蝉。同时，洁若和常韦也不断提醒着我，切不可只求一时痛快，而自食其果。尤其得替孩子们（老大进了高中，老二老三读着小学）着想。好在那时的"反修"，主要是在嘴皮子上。有人背诵《老三篇》，有人甚至背起"九评"。那时

202

需要成天表态的只是机关里的积极分子。我只消不多言不多语，勤做检查，不留情地骂着自己就成了。

我的嗜好是音乐。幸而从英国带回的几百张古典音乐唱片当时都还在。回到家来，我照样听自己的巴哈和贝多芬。同时也希望孩子们能受到点熏陶。偶尔被叫去看个什么电影，事先讲明是为了批判。看完后马上就开会，表明领导对"反修"抓得有多么紧。在不得已的情况下，我就随声附和几句。但能保持沉默，绝不乱说乱动。人既不受待见，讲的只要不出格，倒也没人理会。

1964年7月，我在名义上算是摘了帽子，但处境丝毫没有什么改善，仍属另册，所以也很少有朋友往来。于是，我就把自己埋在18世纪英国文学的故纸堆中。

四

1966年气候骤变，8月刮起"龙卷风"。中旬，我们这些"牛鬼蛇神"（共二十几个）从社会主义学院（六月以来几千名知识分子都以"学习"为名，被集中在那里）给揪回本单位来挨批斗。23日上午，机关一个戴红箍的突然来通知我说，下午我们家那个街道上的红卫兵要来提审我，要我做好思想准备。我听了自是非常紧张。打从我们搬到豆嘴胡同后，自知身份低人一等，只关门过小日子，根本不敢同谁往来，更没开罪过谁。我纳闷为什么街道要斗我。

下午一点，果然来了一个戴红箍的，自称是一家工厂的工人。机关也派了人。我们三个都骑车，大概是怕我半道溜掉，我被夹在中间。

我们是直接从社会主义学院被押回到本单位的，已经有多少天没回家了。我一面害怕挨斗，一面可又急切地盼着回去看看家已被捣成什么样子了。尤其担心三姐和孩子们的安危。

进了胡同，只见大门两旁的墙上贴满了大字报。我的名字上都用红笔打了个大叉叉。家门口挤满了人。把自行车撅下之后，我的双臂就被反剪，押到前院。（我们住的是一座四合院的一排南屋，一道高墙把它和房东住的里院隔开。这时，那两扇二门自然关得严严实实的。）我使劲用眼睛扫视着那五间住房，想知道家人怎样了。只见房门全斜贴了封条，隔着玻璃窗，可以看到里面一片凌乱。书柜统统被掀倒在地上，到处是砸碎了的器皿和玻璃碴子。啊，我那可怜的两个小娃娃，躲在小西屋门口，吓得缩作一团。二门旁边，搭起了一座斗争台。三姐早已猫着腰低着头站在八仙桌上。我立即被揪到另一张桌上，起初也是猫腰。我因为有腰疾，猫了一会儿实在坚持不住了。还是本单位押送我来的那位开了恩，准许我索性跪下。

原以为斗争会是像机关那样重翻一通 1957 年的旧账。然而不。原来斗争会的中心题目——或者说我们的主要罪状是："这一带有住漏房的，有住危房的，有三代同堂的，凭什么你们住得这么宽绰？"还有房屋倒塌、砸伤过人的，账自然就一股脑儿全算在我们头上了。一位没了牙的老妪讲了一通她丈夫当年怎么给日本鬼子打死，"我这个烈属，一家九口人住个破窝，你们住几间？你们还有良心没有？"

说到这里，人声鼎沸。有人嚷道："打倒老财！给这个女的剃阴阳头！"我听了吓了一跳，街道主任马上就抄起剪子朝三姐走过来。

幸而这当儿又有人发现了我们新的罪证。原来几个戴红箍的跑去审问两个娃娃，逼他们揭发父母和姨。九岁的小儿子终于照实说：他看见三姨当天早晨把一串珠子埋在小跨院的苹果树脚下了。戴红箍的赶紧来向街道主任汇报。主任大概以为这下子可有一笔财好发啦，丢下剪子就率领一批积极分子拥向小跨院刨珠子去了。

原来文家几个姐妹从 30 年代起就在天主教的学校读书，四姐还入了本笃会女修道院，家里一直保存着念珠、《圣经》、《圣教日课》、圣像等物。听说外头在抄家，三姐就连忙找出来，烧掉了《圣经》，把没烧尽的部分和念珠一道埋了。这么一来，可就把斗争方向转移了。

1950年初，刚入不惑之年的我，曾赴岳阳参加过土改。在那里第一次看到具体的阶级斗争。再也没想到，十六年后自己一家人竟被当作地主老财来斗，紧接着就给"扫地出门"了。

抄家那天，洁若作为革命群众正在单位参加运动，所以躲过了家里这场灾难。但是岳母那里也出了事。善良的老太太及时把同住的小侄女打发走了，她不愿连累任何人。洁若不顾一切地一趟趟跑到八条去看望妈妈，有时一天去两次（早晨去单位前，以及晚上结束学习后）；结果也被绑架到妈妈所住院中去，遭到通宵达旦的毒打。而她所爱的妈妈，就趁着她挨斗的当儿自缢身死了。打那天起，洁若也被关进本单位的"牛棚"。火葬手续是常韦三姐给办的。其实，那年头，单位的"牛棚"还多少给我们这些"牛鬼蛇神"提供了避难所，最倒霉的是像三姐这样属于街道上管的人。尤其是"文革"期间，就数她受的罪大。我们成了被斗户后，一天晚上，一群戴红箍的冲进来，把她的头打破了，送到积水潭医院去缝了几针，但留下了后遗症：每逢阴天下雨就隐隐作痛。

　　三年后，也就是 1969 年，忽然出了个柳河"五七"干校的典型，立刻就普及到全国。工宣队通知：除了精心挑选的极少数例外，其余的干部扫数都要在国庆前夕前往湖北咸宁。洁若同我一走，孩子们就又只好交给了三姨。

　　下去之前，我曾把小儿子驮在自行车后座上，带他去了趟香山。父子俩在半山亭上坐了大半晌。北京城是一片灰茫茫，整个中国是一片灰茫茫，国家尚不知将乱成什么样子。个人和家庭的前景更谈不上了。活一天算一天吧。孩子问我：为什么要那样。我答不出。可是心里明白：还不是一小撮野心家捣的鬼！然而我也并不真正地悲观。洁若说：物极必反。冥冥中我也觉得坏事总会有个头。东条、希特勒和墨索里尼都曾那样神气过。我那时常常偷偷念叨一句俗话：兔子尾巴，长不了。

　　可是下去没多久，政策又改为连老带小"一锅端"了。后来才知道，原意是：城市只留工农兵，老九一概赶到山沟里去。

　　三姐幸而不是直系亲属，得以独自留在北京。然而也并没轻饶了她。尽管她那条开过刀的腿不大利索，街道还是勒令她去根本没有轻活儿可干的砖窑，从事义务劳动。1971 年的"九·一三"事件后，开始有些松动。女儿回京，分配到无轨二厂去当售票员。转年，小儿子回京升学。随后，我们也回到了北京。三姐终于摆脱了砖窑，又帮我们搭起了一个家。

那时当个家可不易！副食很少，粮食限量严，买什么都得排大队。一到周末，她还想方设法给孩子们买点好吃的。当时家里钱紧，什么便宜货她都不肯放弃。一到冬季买贮存白菜，更是一次耐心和体力的考验。

最初我们烧煤，后来改烧炭饼。70年代用上液化气了。每个月我都同她一道去煤气站排队，然后把那大家伙绑在自行车后座上。我推车，她一路跟在后面照看。

据洁若说，三姐初中毕业后，曾提出要报考护士学校，可她那世代书香的家里说那得给人端屎端尿，没答应。但她确实有白衣天使南丁格尔的奉献精神。孩子们有个头疼脑热，自然由她护理，而最沾光的，就是我了。1973年初，我戴着"冠心病患者"的帽子从咸宁回到北京。那时，我的编制和医疗关系还在干校，也买不起什么特效药，就经常自费去建国门一家街道小医院就诊。那里一位林大夫在三年内，足足为我开过两百多服中草药，每服都只三五毛钱。为了尽量发挥药效，每服我都请三姐给煎三遍。也就是说，统共煎了六百多遍，火候都恰到好处，从没煳过一回。我也真肯喝（因为惜命），六百多碗汤药都灌进肚皮了。

在咸宁刚发病时，我才六十开外，去甘棠镇或温泉镇做检查，都得由小儿子搀着。如今，八十三都过了，心脏基本上稳定，我得感谢开方子的那位林大夫，更得感激耐心煎药的三姐。熬药时，她总守在炉旁，不时地掀掀沙锅盖。早年的天主教信仰使她做什么都那么专心致志，那么虔诚。

她的细心也是惊人的。在家里，她是找东西的能手。每逢什么找不到了，不论是用具还是刚写了半截的什么稿子，洁若和我只会乱翻，而且越翻越不耐烦，因而也更没希望找到。这时，只要把三姐请来，描述一下形状和颜色，她就会一声不响、耐心细致地找了起来。最令人放心的是她不论掀起什么，都必轻轻放回原处，从不弄乱——对于稿子，这格外重要。她就这么锲而不舍地找，而且每一次都能找到。那时，她既不训斥说"下回可别乱放了"，也不表功，就悄悄地又去干旁的了。有一次，三姐竟然从垃圾桶里拾回一只金表。原来我把那只1945年从瑞士买来的马凡陀牌自动金表放在窗台上了。洁若吃完香蕉，将皮放在表上，又一股脑儿丢进垃圾桶。三姐倒垃圾时，觉得比平日重了一些，一检查，发现了表。三姐从未再提及此事，倒是每当洁若说我爱丢东西时，这就成了我的挡箭牌。

每到除夕，我把壁上的挂历一一取下，换上新的，三姐就开始做信封了。一般是在午饭后，把堂屋的桌面擦净后，她打好一小锅糨糊，将作废的月历一张张摊开来，用尺子量好再剪。她自己写信一向用这种信封，也分给我和洁若一些。国内不少朋友曾收到过我装在这种信封里的信，还夸我这人真勤俭节约。其实我是在尽量同她配合。今年年初，洁若说："我想用这些挂历纸订个剪报本。"三姐这才没糊。不出半个月，三姐竟突然走了。洁若说："我实在不忍心让三姐受这份累，才故意这么说的。《尤利西斯》还忙不过来，哪里顾得上什么剪报！"至今我们还保存了一批三姐手糊的信封，作为纪念。

　　1976年7月北京闹地震时，我们住的那个大杂院里但凡有办法的都疏散了。我当时所隶属的那个单位既有我们这号人，也有几位工农兵学员。地震后，领导就赶忙把工农兵学员保护起来，让他们住进一辆旅游大客车。我们这些老的，当然就听天由命了。街道最初通知我和北屋一位老党员，要我们准备疏散到某个地方，可能是为了体现社会主义对老弱病残的照顾吧。后来大概发现我原来是个摘帽右派，就只疏散了那位老党员。那时，两个儿子分别在江西和平谷县插队，女儿住在无轨二厂宿舍，洁若则出差到长春去了，家里只剩下我和三姐。我们可真是相依为命了。那程子我们轮流睡觉。她在里屋睡觉时，我在用"门洞"改造成的外屋桌上倒放一只瓶子。我们约定，瓶子一倒，我就敲门。她就马上逃出去。我睡觉时，她也这样。但是瓶子一回也没倒过。

后来还是一位跟我学过英文的青年，把三姐和我接到光电学院的防震棚里。住进去之后，她关心的不是自己，总是孩子们的安全。（后来才知道，小儿子差点儿在平谷给砸死。地震那个晚上，他正和一个老乡住在一间危房里。老乡发觉房屋在晃动，便把一时醒不过来的他，硬拽到门外。他们还没站稳，整个屋子便轰隆一声坍塌了。）

我们在防震棚里住了足足一个月。平时是她上街买菜，张罗三顿饭。在那非常时期，是我骑着车，车把上挂个兜兜，沿东四到处打食，买点现成的果腹。

三姐不仅为我们支撑这个家，70年代她还在另一项麻烦事上顶替了我们。那时我们所住的胡同像整个北京——也许全国一样，有个突出政治的居委会。三天两头，有时一天两三次召集居民去开会。忽而批林批孔，忽而传达通知，都是三姐代表我们去参加。那就意味着不管刮风下雨，居民每家出一个，坐在小板凳上洗耳恭听各种文件的宣读。她回来一般不吭一声，反正是跑不掉的一项任务。住进天坛楼房后，又轮流算水电，一家家收钱。

所有这些，她全包下了。她一心一意就是要省掉我们这些麻烦。80 年代，当我把港版《负笈剑桥》一书献给她时，我曾对她说，我和洁若的任何成就，都有您的一份。

就这样，我们共同熬过了多灾多难的 60 年代，度过了困顿的 70 年代，迎来了劫后的 80 年代。我们总算在一道过了十几年舒心日子。这也是洁若和我最活跃又最多产的一段时间。扪心自问，我们对得起这段来之不易的日子，一点也没疏懒。然而我们之所以能全力以赴地工作，还是由于我们有三姐这可倚靠的台柱子。

五

80 年代以来，我们国内外的邮件日益增多，每天必来一大叠。相应的，我往外发的邮件自然也多了起来。尤其每次新出一本书，势必得分寄给一些知友。邮局送来的取邮件通知，上面只写明件数，无从知道重量。有时她取回的邮件重得实在令我难过。于是，我赶紧写信给有关的出版社，要他们把书务必寄到中央文史馆去。但朋友们零星寄来的书，就无从预先通知了。至于往外发的信，有挂号的，有快递的，也有需要临时补贴邮票的，十分烦琐。另外，时而还有取款汇款的事。往外发的邮件都摆在家中门后一个邮箱里。十年来，所有这些，都是三姐一手经办，从没一点差错。我称她作邮政局长，她听了只是笑笑。她是我所见到的最没有虚荣心的人。只要能起作用，她就心满意足。

三姐有一个得力的"助手"，那就是薇薇（聂华苓的大女儿）在80年代初送的一辆德国制造的购物手推车。每次她上街之前，总要估摸一下需不需要带上这个"助手"。据她说，菜市上不少老太太见了都表示羡慕，并向她打听是在哪儿买的。有一次，我们事先知道寄来的是六包书，洁若便陪姐姐一道去取。小车的货囊只容得下三包，于是洁若就手提着三包，和姐姐说说笑笑走回来。洁若说，她体会到了小车对三姐有多么重要。一天，车轮子掉了，她请楼后一位修自行车的老师傅给装上，碰了钉子。我晓得她离不开这个"助手"，就自己跑去找那位老师傅，恳切地说了些好话，居然打动了他的恻隐之心。其实，转眼就修好了。等我交钱时，他怎么也不肯收，说："唉，您这退休老工人也没几个钱，算了吧！"那天我大概穿了件很旧的布衫。

床头那具小闹钟总是早五点响。真正闻钟而起的是洁若。我总要赖上一阵子。但从起床到八点半吃早点，这段是我们一天的黄金时间：既无电话，又无访客，完全没有干扰，我们约定这段时间不交谈。这样，就可以全神贯注在工作上。三姐晓得我们这习惯，同时，她头晚看电视或看书常看到十一二点，所以她一般要睡到八点才起。她是快手，几下子就能把早餐做好。然后打铃，洁若和我才出来。

大约十点半，她下楼取报去了。偶尔报来迟了，她就不辞辛苦地一遍又一遍地取。每天报纸一摞，另外还有信件和刊物。她总是扫数先交给我。我马上放下手头的工作，赶着先看她最喜欢看的，然后分几批给她送去。她爱看各地的晚报，上海的《新民晚报》、广州的《羊城晚报》、天津的《今晚报》和《南方周末》；《文汇报》、《解放日报》、英文的《中国日报》，她也读得很仔细，有时也发表点议论，但很简单。看到非洲有些地方自相残杀，她就说："抽疯哪。"显然，她要的是一个祥和的世界。

十二点就开午饭了。这时，我总放一些我们三人都熟稔的英美民歌、圣诞歌曲或《培尔·金特》组曲。我们都喜爱音乐。我常常一边吃饭一边想：像洁若和三姐这样自幼一道长大，六七十年基本上生活在一个屋顶下的姐妹实不多见。而且她们仿佛老有谈不完的话（在饭桌上，音乐只是为谈话提供伴奏）。她们谈的大多是一些早年的往事，有时是日本东京，有时是桃条胡同。学校则不是圣心就是辅仁。大姐很有才华，30年代《国闻周报》还登过她的一个短篇小说,一篇散文,都是我发的。二姐是位反封建女杰,曾经在三姐的支持下,和孔德的老师杨晦谈恋爱,甚至私奔。可惜生下一女后,年轻轻的就死在上海了。据洁若说,四姐几乎是个天才,既精通数国语言,又弹得一手好钢琴,还会作曲。二十二岁上突然死在美国。大夫说不出病因,只好解释说,她的天分太高,好比是一支点燃了两头的蜡烛,生命也消耗得比一般人快。三姐最喜欢谈她摔伤了脚之前,带着弟弟骑车上学的"当年勇"。三姐还说,小老五洁若自幼就是个书呆子,光看书不大玩。 如今在哈尔滨定居的堂姐和新一家人的事,也是经常出现的话题。 她们谈起来真是津津有味,而且时常重复。我则总挖苦说,都是些陈谷子烂芝麻。从她们的谈话中我得知,她们小时家境富裕,住有近四十间房,分五个院子,有老家人、奶妈和丫环。可是敌伪时期,父亲失业了,把房契也抵押出去。日本投降后,那个拿走房契的人下落不明,因无法证明不曾把这座房子卖给敌伪,这样,就糊里糊涂地被当作伪产没收了。因此,三姐虽然生在官宦之家,却也经历了多年的贫苦。1950 年洁若大学毕业后,母女三人就靠她那三十元工资来糊口,房租就占去了其中三分之一。大姐偶尔从美国托人捎一笔钱来,才稍微缓口气。 所以尽管 80 年代日子宽裕了,她仍不习惯于大手大脚。卖时兴衣物的长安商场就开在附近，可她还是最喜欢去三里河地摊上买混纺毛线和下脚料。她看到我花二百元从老人用品展览会上买回一件杭州绸茄克，第二天，她就从三里河替我买了三四件样式和质地差不多的绸茄克，没有一件超过一百元的，并且得意地说："质量一点儿也不比你那件次。"最有趣的是她为我买的那顶黑皮帽。我戴到中央文史馆去，大家竟以为是水獭的，都猜值千儿八百的。我回家一问，她告诉我是四块钱，也是三里河买的。

下午一点，我总要听北京电台广播的大碗茶相声。我特别给三姐准备了一个小半导体，希望她午睡时也听听。她嫌相声大部分都"太贫"。她只喜欢听马三立的，说他"自然"。也爱听苏文茂，说他"酸"。有个小娃娃说的相声，她听了可挺喜欢。后来我买了盘那个相声的磁带，她也不知听了多少遍。我估计她欣赏的不是所逗的哏，而是那娇嫩声调烘出的乳臭未干的形象。相声触动的不仅是她的幽默感，更是她的母性。她爱孩子，孩子们也爱她。不但是我们家的，学朴的两个女儿也跟她特别亲。她们赴日留学后，每逢回国探亲，总给她带些点心、巧克力。尤其是小黎，在长途电话中得悉她去世的消息后，曾痛哭着说："三姑对我好极啦。"

她做饭时喜欢哼些30年代的曲调，而且大都是我十分熟悉的。有时是黎锦晖作的轻歌剧，如《葡萄仙子》或《麻雀与小孩》；有时是那程子流行的一些好莱坞电影插曲，如《克罗拉多河上的月色》。但她最爱哼的还是《平安夜》等圣诞歌曲。 记得1966年抄家后，我们这些关在"牛棚"里的"牛鬼蛇神"获准回家去度周末。然而，五间南屋还贴着封条，小西屋那张床勉强够三姐和两个孩子睡的，我和洁若只好在方砖铺的廊子上蹲到天明（幸而那是夏季）。半夜里，三姐忽然从小西屋里走出来，边颤巍巍地唱《平安夜》，边满院子转悠。借着月光，可以看到她头部渗到白绷带外面的血迹。洁若说，兄弟姐妹七人中，就数三姐和太太一道生活的时间长，几乎是相依为命。当时太太惨死，紧接着她本人也给打成那个样子，神经上所受刺激之大，是可想而知的。洁若说，三姐在辅仁大学念书时，和一位美国修女艾琳特别接近。每逢星期日，她就带洁若去教堂，弥撒结束后，常常站在教堂外面和艾琳修女用英文长谈。1940年的圣诞节晚会上，三姐身着拖地白绸服，站在台上背诵《平安夜》。那个节目中，洁若扮演小天使。她站在舞台一端，等姐姐背诵完，便和其他两个小天使一道走到马槽里的小耶稣跟前。她从舞台上把观众的反应看得一清二楚。姐姐吐音清楚，风姿秀逸，博得了台下的热烈掌声。洁若认为，姐姐给打成脑震荡后，正是靠了一遍遍地唱《平安夜》来维系住她那几乎全面崩溃的神经的。平素神色安详的她，只要一谈到"文革"中受的罪，就连嗓音都发颤了。

三姐一生虽没写过什么，但她一向嗜书如命。尤其小说：创作、翻译以及英文原著，她都看。她的兴趣十分广泛。小说家中，她最佩服王火。她也一直把着王朔送我的那四本文集不放。

1978年我们搬进天坛南门的套房后，立即买了一部彩电，放在三姐屋里。1986年洁若又从日本带回一台更新式的。电视使三姐开阔了眼界；十五年间，她没有一天不看，并且常念叨："可惜太太没有赶上好日子。"她爱看的电视剧有《阿信》、《情义无价》、《编辑部的故事》、《爱你没商量》等，一集也不漏。古装片和"打枪的"，她都不喜欢。看《半边楼》时，望到那些教授竟吃住在那么窄长的巷子里，就为他们打抱不平，同时，也想起我们过去在南沟沿和"门洞"里受的那份罪。她多次对80年代以来的生活表示心满意足。

然而她怎么也不肯改变她那有些过火的节约习惯。从敌伪时期到十年浩劫，她一生经历了太多的匮乏。不但成打的瓶子全堆在厨房角落里，塑料袋一个也舍不得丢，甚至我吃的丸药外面那层蜡皮，她也留下来，说是万一停电，可以代替蜡烛。她和洁若还同是家中的节水模范，一盆水恨不得派上八项用途。每次开完

218

了洗衣机，厨房内外交通就堵塞了。因为她一勺勺地把洗衣机里的水全舀到好几只塑料桶或盆里，擦完地再用来冲厕所。

三姐给我印象最深的一点是，她在心情上永远是年轻的。70年代住在"门洞"的时候，我常陪她去工人体育馆看篮球，去体育场看足球。其实她视力既差，又坚决不肯配眼镜，座位还挺高，大概只能看到足球场上一片绿色。每进一球，都是由我告诉她是哪边踢进去的。洁若在出版社拿到什么电影票，就给我们送回来，她自己抽不出时间去看。回想起来真有点可笑！当时我们住在东北城，得挤多少次汽车和电车，才赶到南城的白纸坊呀。看的往往是些极不高明的片子。然而那时我们是困顿在文化沙漠上啊，什么都稀罕。及至粉碎了"四人帮"，开始放映内部电影，连洁若和孩子们也都起劲了，她往往买上好几张票，什么《魂断蓝桥》、《乱世佳人》、《煤气灯下》，都是全家一道去看的。

对于音乐，三姐的爱好比我广泛，我只爱听美声和民族的。对流行歌曲，她听起来也蛮起劲。她有时指着荧光屏说："李双江又出来啦。"要不，"李谷一干吗打官司？"电视剧开头一奏主题歌，她就猜"这准是毛阿敏唱的"。

她的"宝座"是一把竹藤椅，旁边有个小黄橱，里面放着她喜吃的腰果、柿饼等。橱顶上有个竹篮，放着一大堆毛线活计。

去年 5 月现代文学馆为我举办"文学生涯六十年展览"时，我原怕开幕式那天人多来不及照应三姐，便提出另选一天专门陪她去参观。洁若说："这样吧，咱们把杨毓如也请上，她们彼此也有个伴儿。"杨是洁若的好友，本是出版社校对科的，由于曾在八达岭和菜站一道劳动过，结下友谊。后来她调到计委，就住在三里河，曾为我抄过稿子，又因对花的共同爱好，和三姐也有了交情。每逢在菜市场相遇，她们总要聊上一会儿。

凡是经常来访的人都知道三姐，而青年记者杨小平对我们家这位无名英雄格外钦佩，那天特地为她抓拍了三张照片。她身穿鲜蓝地黑竖纹毛衣，仪态万方地站在主持人舒乙后面。有一张还露着笑容。旁边是杨毓如。当天拍的录像带，也留下了她的镜头。

文史馆为我举办八十寿辰宴席那个晚上，三姐、洁若、学朴和弟媳书元以及在山西大同工作的弟弟学概都来了。由于三姐和我们一道生活，两个弟弟很自然地就在我们家与姐姐们相聚。看到弟弟们怎样照顾三姐，着实令人感动。学朴进门就用湿抹布替三姐擦地毯，据他说，这比吸尘器彻底。学概出差或来京过春节，就把做饭洗碗等活儿都包下了。

其实，进入 80 年代，我们的经济情况完全允许我们请一位全

220

时间的保姆，那样就可以让她摆脱家务，劳苦了一辈子，最后享点清福。洁若说："只要教会了保姆，你就省力气了。"可是三姐说："有那教的工夫，我早就自己做完了。"有一次，林海音从台北来信说，他们的四个子女都不在身边，但是未请佣人，因为"我就讨厌有人在我眼前晃"。从此，只要洁若再提请保姆的事，三姐便说："我也和林海音一样，就讨厌有人在我眼前晃。"洁若说："家务是没完没了的，我就是成天跟在你后面转，也闲不住。但我为公家干了四十年，好容易有了自己的时间，丢下西瓜去拣芝麻，不是太冤了吗？你真是劳累命！"三姐立即驳斥她道："你不是劳累命呢？成天趴在桌子上！"

三姐坚信自己是不可代替的。每逢洁若一提请人帮忙，她就觉得好像是侵犯了她那王国，剥夺了她的生存意义。当她不能直接对社会有所贡献时，她就想通过支持我们的工作来证明她的作用。

自前年12月起，洁若还是不顾三姐的反对硬请来一位每天两小时的安徽小保姆。三姐说："你要用你用，我不管安排活儿。"保姆快来的时候，她就预先把自己房间的门倒插上。不过，久而久之，她也表示让步，终于肯拿出自己的衣服床单什么的给保姆洗了。然而，洁若正多方设法请一位可以不住在我们家里的全日制保姆时，三姐却溘然长逝了。

　　早晨，我时常同她一道去三里河菜市场。通常是她一个人钻进人群里买这买那，我则找个角落一面看市景，一面不时地用眼睛追踪着她那飘满灰白发的头。由于怕下回没货了，一见到她爱吃的东西，如花椰菜，她总十斤八斤地买。我争着要提一部分，她老是提醒我：你只剩一个肾了，别逞强。

　　我们怪她有福不会享，她则向我们宣扬她的人生哲学：人活着就不能吃闲饭，而且，人越劳动就越结实。她既勤快，手又巧，不停地干。也不知道她给我们一家人织过多少件毛衣、毛裤和手套。光是她手织的睡帽，我就还存有四顶。洁若常劝她："别再织了，我一辈子也穿不清了。"三姐回答说："我能动一天，就织一天。"她一般都是利用看电视的时间织毛活儿。她说，这有助于活动手指。对国内外的亲属和友人，她的馈赠也往往是她的手织品。

　　人活着，就不能吃闲饭。这是多么简单朴素的人生哲学！倘若这能真正普及成为每个人的哲学，历史的车轮就会转得更欢，世界也会变得更可爱了。

1993 年 7 月 10 日至 17 日

太原—忻州—五台山

（原载《收获》，1994 年第 1 期。）

我的两位老师

我早年——也就是 20 年代——读书时,学校里颇有几位老师是体罚主义的坚定信奉者,认为仅凭尺二夏楚,多么刁顽的后生也能打得驯顺,多么懒怠的,也必可勤奋起来。他们中间,特别凶狠的是一位教代数的老师。他的脾气暴得像三伏天炎日下的柴火,一点就着。课堂里的秩序靠板子维持,学生的作业也靠板子来督促。他脸上有麻子,而且麻得厉害。每次风暴到来之前,我都觉得他的麻粒总是由青而紫。接着,他就抡起他所倚重的那件"教育"武器,在我们手心上显示起威风来。有一阵子,我这由私塾混过来的学生,忽然对代数产生起浓厚的兴味,觉得代数题好像有点情节,而"设 X"还颇能启发点想象力。然而经过他两顿清脆而沉重的板子,科学在我幼小心灵中露出的那点点幼芽,就永远枯萎了。

　　当时我们念的课本叫《温德华氏代数学》，大概是根据什么外国教科书改编的，书挺厚，要一块多钱一本。每天上下学途中，我都小心翼翼地把它同旁的教科书裹在一块蓝布包袱皮里，夹在腋下。可有一天走在东直门大街上，突然对面奔来一匹惊马，它像发了疯般地在马路中心横冲直撞起来。顿时街上人声鼎沸，我也没命地朝一家专营殡葬的杠房大黑门跑去。哎呀，迈沟的时候一不小心，蓝包袱散了。我慌忙把零乱的书册拾了起来，重新包起，躲进那家杠房。

　　晚上一温习功课才发现：糟了，"温德华"不见了。我急得干跺脚，可又没敢声张，生怕堂兄知道了先揍起我来。对我来说，再也没有比丢失"温德华"所造成的危机更大的了，因为比这轻得多的过失也要招致一顿重打呢！我溜出大门，摸着黑儿跑回惊马的地方找，还去敲杠房的门，问掌柜的可曾见到那本书。掌柜的说："什么'温德华'、'热德华'的，没有！"然后，咣当一声，板门又关上了。

　　那一夜我尽做噩梦，天好像塌了下来。早晨，我提心吊胆地走向学校。上代数课之前，我央求邻座的同学把书放在两人合用的课桌当中。他吐了下舌头，就答应了。

　　可是，他答应了管什么用！站在讲台上的老师就像目光炯炯的老鹰，我缩在座位上，自知是他的猎物。

果然上课没多久，他就发现单单在我们这张课桌上，只有一本书，"老鹰"立刻张开翅膀扑了过来。

几分钟后，我抚着红肿的手，淌着泪，回到座位上。"老鹰"在讲台上横眉立目（一手还攥着那个刚才抽过我手心的板子），大声咆哮道："哪天你不带书来，哪天照样揍，把书揍出来算！"

手心热辣辣的像针扎的那么痛。同学们怜惜的目光从四下里射向我。我呢，一边呜咽，一边咬着下嘴唇，心里在盘算着。

那刚好是月头上，是交饭费的时候。记得当时每月饭费是两块半大洋。我有了主意。我向管膳务的先生说明了情况，苦苦哀求他，准许我只吃早饭和晚饭。这样，中饭的钱就可以省下来买那本"温德华"了。这本来是没有先例的，但那人的心肠软，并且也耳闻过麻老师的威风，就真的同意了。

于是，每当中午下课，大家熙熙攘攘拥到饭厅里去吃午饭的时候，我就一个人留在篮球场上，无精打采地投篮。现在回想起来，真太傻了。肚子本来就饿得叽哩咕噜地响，眼前冒金星，还投哪门子篮！可小时偏偏就那么傻，而且还逞能！当有人路过球场，好奇地问我干吗不去吃午饭的时候，我还笑嘻嘻地说："不饿。"样子装得满不在乎。

有一位教高班地理的贾老师——哎，现在我连他的名字也忘掉了，只记得他戴副近视眼镜，是个细高挑儿——听了我那个答复并不满足。他跑去问我班上的同学，才弄明了真相。

他不声不响地替我补上了饭费，然后把我叫到教员休息室去，用充满温情的目光望着我说："不是你粗心，是马惊了，这怪不得你。从明天起，你去吃午饭吧。"

我含着泪问他："那——钱呢？"

他把手一挥，用诙谐的口吻说："等你毕了业，再双倍还我。"

谁想到没等毕业，我就被开除了。那以后，走南闯北，这位贾老师的慈祥面孔却时常在我的记忆中出现，每次都感到一泓暖意。

（原载《中国教育报》，1984 年 6 月 23 日。）

我的书房史

自从写了《搬家史》之后，我发现几乎任何事物只要用"一生"这根线一串，就能串出一部历史来。我的《在歌声中回忆》就是这么写的。书房也是这样。

我生在贫苦人家。小时睡大炕，摆上个饭桌它就成为"餐厅"，晚上摆一盏煤油灯，它就是"书房"了。

可是我老早就憧憬有一间书房——一间不放床铺、不摆饭桌、专门供读书写文用的地方，对于读书人或文学工作者，不应说它是个奢侈，那就像木匠的作坊。然而它在我大半生中都曾经是可望而不可即的。

20年代初期，我每天都去北平安定门一条胡同去上小学，在三条拐角处有一排槐树，旁边是一道花砖墙，通过玻璃可以看到那栋洋式平房里临街的一间书房——后来才知道它的主人就是社会科学家陶孟和。平时窗上挂了挑花的窗帘，看不清里面。冬天黑得早，书房里的灯光特别亮。我有时看到主人在读书或伏案写作，有时又叼着烟斗在一排排书架中间徘徊。当时我小心坎上好像在自问：我长大后有一天会不会也有这么一间书房。

1935年我进天津《大公报》，同另外三位大学生同住在一间宿舍里。楼下就是印大报的机器房，对面是成天冒烟的法租界电力厂。那时我就锻炼出在什么环境下都能睡觉的本事。当年去上海筹备沪版《大公报》，也是先住宿舍，后来先后当了王芸生和杨朔的二房客。"小树叶"去日本之后，我就一个人住一间了。我在编副刊之余，还为巴金、靳以的刊物写文章。我的长篇《梦之谷》就是那时候写的。"小树叶"是从刊物（好像是《文丛》，要不就是《作家》或《文季》）上的连载读到的，她气得哭了通鼻子，我只好连口道歉说早应向她坦白。

"八·一三"失业了，后开始逃难了。不要说书房，连个睡觉的地方也成问题了。我们从上海而港粤——武汉——长沙——沅陵——昆明的流徙中，经常是她同女难友，我同男难友搭地铺。最后，多亏了杨振声老师和沈从文先生的照顾，我们总算在昆明北门街分到一间小屋。

1938年在香港《大公报》还是住集体宿舍，1939年出国，在伦敦住公寓同在上海住亭子间差不多，只是白俄女房东换成英国的老大娘。我第一次有间书房是在剑桥大学国王学院。

在剑桥的二十来所学院中，国王学院是很难进的。即便收了，也很难成为住宿生。我由于是由两位最杰出的国王学院毕业生福斯特和魏理介绍的，所以国王学院让我住了进去。除了卧室还给我一间书房，北面窗户濒临剑河，东面则对着著名的国王学院教堂和大草坪。那幢楼建于14世纪，但设备完全现代化了，长沙发可以舒舒服服地坐上七八位来客。书房门楣上照例漆着我的姓名。

我虽只占用过那间书房两年（没写完论文却写了两本书和连载重庆《大公报》的《话谈当今英格兰》），我却时常怀念那间书房。1985年重访剑桥时，承母校邀我和洁若在客房住了一晚，我们还特意去重访了一下不知易过多少个主人的那间书房。

1946年在复旦教书，大学在徐汇村给了我一幢日本式平房。地方不大，但卧室、客厅一应俱全，还有间小书房，在那里，我写了几十篇国际社评和《红毛长谈》，也编了《人生采访》和《创作四试》。

在漫长的1949年至1983年期间，我不但再也没有了书房，其间有七年是处于流放中。那些年，书房对我就成为非分之想了。

有些年，我只盼不再去公厕，能再用上抽水马桶我就很知足了。我时常害怕头一晕会跌进那爬满了蛆虫的粪坑里。

现在来谈谈如今我在木樨地住所的这间书房。

许多朋友一进门就说"啊，可真乱！"《读书》月刊甚至还特意派人来为我这其乱无比的书房拍了照，登在刊物上。其实我也十分羡慕朋友们那窗明几净的书房，但我对书房的第一要求是：它得出活儿。我在这间书房里已写了并编了足够百万字的书，近四年又同洁若合译了上百万字的《尤利西斯》。我爱我这间书房，因为它出活儿。

我是编副刊出身的，我一向是乱中有序。当编者的倘若给人家的稿子弄丢了，那可拿什么也赔不起。我从没丢过。30年代，一个下午我得看上一二十篇稿子——不止看，还得先分类（即用、待用、再酌和不合用）。然后挑出需要写封信的。最近台湾女作家张秀亚的女儿从美国寄给我一个复印件，是1935年我在她妈妈文章后面写的一段话，谈文章宜少用"的"字。

现在谈谈我这书房的乱中有序。我的书桌周围有不少盒子——大都是用中间糊有玻璃纸的咖啡盒子改装的。首先是我的"意识流"——也就是我偶然想起可写的题目或一句话。像"北京城杂忆"这类系列短文的胚胎都来自这"意识流"箱。另外有

"备考箱"。信则仍分作"即复、缓复、不复"三类。复完的信就放入书桌底下"已复"盒——满了就包起来,标上日子。书桌的抽屉有放纸的,有放各种尺寸的信封的。还有个小筐筐,内装七个住址本,有二三本国外的,四本国内的。国外按国家分,国内的则有的按类别(如文化、影视、出版等),有的(个人)就按姓氏字母排列。所以任何住址,我随手都能查到。

长沙发是我的休憩处,一头架子上放的是药品和营养品,另一头是我心爱的激光唱机。书架上放着分类的激光唱盘。沿墙是我从几十盆花中精选的花,经常换。我特别钟爱我自己插枝长大的。朋友知道我喜养龟,就送了我五只金钱大的绿毛小龟。我把它们养在鱼缸里。不幸,其中一只死了,我生怕由于自己忙于《尤利西斯》,疏忽了宠物,所以赶紧送回给原主了。大乌龟则养在阳台上。

近几年领导曾经三次建议我换个更大的地方,我都婉言谢绝了。我晓得在知识分子的住房条件上,我已算是中上等了。我不能忘记自己以前过的日子,更不能忘记今天还有三世或四世同堂的呢。

这书房就是我的归宿。我将在此度过余生,跑完人生最后一圈。我希望在这里能多出些活儿。然后,等我把丝吐尽时,就坐在这把椅或趴在这张书桌上，悄悄地离去。

能够这么善终，这是我在 1966 年夏天所不敢想的。我很知足。

（原载《深圳特区报》，1994 年 8 月 6 日。）

创作断想

　　30 年代初期还没走出校门，我就为自己设计了生活道路：通过记者这个职业，走上文学创造。六十年后回顾起来，我基本是按照这一蓝图生活过来的。每当我以"老报人"自称时，总是带着无限自豪和感激的心情。因为这一行当曾经使我在国内外跑了许多地方，在三教九流中间结交了许多朋友；使我看到人民在旧社会遭遇的苦难，看到国内外法西斯的残暴以及他们那可耻的下场。

　　肯定现在绝不意味着否定过去。"温故而知新"还是一句至理名言。当前重印"五四"以后的作品，我想意义是双重的，一方面，让新的一代看看我们在文学上走过的脚印；另一方面，旧作中所描写的旧中国，也还是值得当作褪了色的相册来翻翻的。这样就会更珍爱今天。

对新一代作家的探索精神，我是由衷地佩服——佩服他们的智慧和胆识。 探索的结果，也许是"此路不通"，但也说不定是"又一村"呢。"五四"就是从探索开始的。邪门歪道不能说完全没出现过，但总的来说，还是创出了路。所以应允许探索，保护探索，为探索者创造条件。失败了的，自然会无疾而终。 这个自然淘汰的规律是逃不掉的。成功了，世世代代都沾光，岂不很好！

伟大的作品在实质上多是自传性的。想象的工作只在于修剪、弥补、调布、转换已有的材料，以解释人生的某一方面。

不同时代的文学有各自不同的特征。三四十年代压倒一切的主题是抗日，在这一主题上，集中了当时整个民族的悲愤之情。此外，还有工厂的残酷剥削和农村的贫困。今天，政权在人民手里，现实要比30年代曲折、复杂多了，文学作品所肩负的担子也更重了。在浩劫时期，我在心灵深处对新文学也曾有过今不如昔之感。我向往启蒙的20年代，怀念我所熟悉的30年代和不大熟悉的40年代。70年代末以来的新创作修正了我的看法。"五四"以来，还没有在这么短的一段时间里，涌现出这么多新作家，写了这么多好作品。好，因为许多都是呕心沥血写出来的，有的是感人至深的控诉书，有的向我们这个时代有力地提出挑战。例如，近年问世的《战争和人》三部曲（王火著）可以说是以纯熟的艺术手法反映重大题材的力作。 我看到许多作家对问题挖掘得较深，探索得较大胆，在表现形式上也有意识地突破。

我曾说过，倘若阎王爷要我登记，表示下辈子愿意干什么，我一定填上：仍要当记者。我喜欢新闻这一行，但是我更爱文学创作。只要我一息尚存，我就不会放下手中这支笔。

1998 年 5 月 10 日，于北京医院

（原载《香港文学》，1998 年 7 月号。）

抗老哲学

——给自己做点思想工作

三年前，我八十五岁时，还没或者还不大想这个"老"字，更不用说"死"啦。这两三年来，老的意识不断向我袭来。有时躺在床上甚至模拟举行遗体告别时自己的挺直姿势。我充分意识到心理上这很不健康。深知这么下去不是办法。

其实，除了一系列我自己看到的化验数字（如内生肌肝清除率只剩正常人的十分之一了），我意识不到自己的健康在退化。我耳不聋，还能听得出交响乐的细微处。我最怕人对我大声说话。走路人家总嫌我走得太快。饭量虽小多了，不再是大肚汉，但吃什么都挺香。睡眠是差一些，反正也不用坐班，可以随时补觉。尤其可以自慰的，就是还常想写上一星半点儿的，只是往往起了个头儿就坚持不下去。反正至少直到如今，我还没脑软化吧！

同年轻时候相比，最突出的一点是以前经常想的是未来，而现在小差常往后开。一苦闷了，就用早年如意的事来宽慰自己。可往往又认识到过去的反正都已经过去了，用那来支撑现在，不灵，也没出息。

于是，我坐下来，手捻素珠就做起自己的思想工作来。

生，是偶然的。死，可是必然的。

我早就写过《我这两辈子》。"两"是以1966年我往自己喉咙里倒的那瓶安眠药，并被隆福医院洗肠救活为界。吞服之前，我头脑完全清醒，所以遗书里还歌颂了一通新社会，只怪自己不能适应。那当然是为妻小托付。那次倘若没救活（已经隔了好几个小时了！）现在还不也就成为一抔土了。是捡了条命！幸亏没走。接着，从70年代后期起，天就又亮了。我也没辜负我这第二辈子。我一生从没像这段日子那么奋发过。我一连写了《八十自省》、《未带地图的旅人》、《医药哲学》、《海外行踪》等书，重印了旧作十几种，还同洁若合译了奇书《尤利西斯》。隆福医院当年总算没白救我这条命。更要谢谢我的老伴洁若和她那位五年前归天了的姐姐常韦。

其实，80年代我那股勤奋劲儿不难理解。当一个人发现他那条小命几乎丢掉可又捡了回来时，他就会更加稀罕起来。以前晃晃荡荡地混日子，这时倒起劲了，好像是向自己证明没白活下来。

中学时期，学校春秋两季必举行运动会，我每次都必报名参加，而且是长跑。可我连个铜牌也没捞到过。由于落后不只一圈，往往连全程都没跑完就拉倒了。可我很满意，因为我跑是为了锻炼。

我这辈子也就是这么跑过来的。如今，九十在望了，这个"老"字再也躲不开了。与"老"字相伴的，自然就是"死"。生不容易，尤其生在贫苦之家，生在动乱的年月。那时，凭那股血气方刚的劲头，横冲直闯，也还是闯过来了。可面临老迈与死亡，就一筹莫展了。

当然，我一有病就打针吃药，住院治疗，立刻采取一切必要的措施。

我最主要的措施是对自己做思想工作。

世上最可靠的哲学是唯物论，因为它不虚不玄，脚踏实地。首先就得承认自己老是老了——而且跟着还要死。自古以来，谁也跑不掉。秦始皇派了童男童女渡海去寻找长生之术，也白搭。

我腿脚还利索，耳不聋，戴上眼镜还能看五六号字，虽不能背诵什么了，可脑子还经使，不怎么糊涂。记得京剧里有个叫张别古的角色给老做了个精彩的总结，开头仿佛是："人老了，人老先从哪儿老。先从牙上老。嚼不动的多，嚼得动的少……"

可咱们国家还常提倡老有所为。也就是老了也不能白吃闲饭。老了，精力差了，可老人还有比少年人经验多的一面。因而有时就能发挥点特有的作用。尤其耍笔杆这个行当。大件写不出来了，小件完全可以干到最后一息。

人老，不怕，因为是无可抗拒的自然规律。怕的是心也老。心老最突出的征象就是成天关上门总想自己的老。越想越消沉，以至于人还没死，心先死了。早年，肺病是不治之症。如今，不是了。癌症也有攻克的一天。唯独要是心死了，那可是最可怕之症。而且，此症并不限于老年！

前几年，我曾用韩德尔或莫扎特来医治我的老年症，时常身在 20 世纪的中国，心却徘徊在十八九世纪欧洲的宫廷。后来发现，作为艺术欣赏，那是上品，我常沉醉在那徐缓的旋律中。然而用那来驱散老迈和死亡的阴影，则是徒劳。大风琴只能片刻间把我带到遥远的年代去。那却无助于驱散我眼前的暮气。

我是个老记者。幸而我每天都有十来份日报和几种刊物可看。我看国内新闻，也关心国外动态。我发现多知道点国内外大事倒不失为抗老的一种办法。非洲的动乱，拉美的饥荒，美英威胁伊拉克，中国支援第三世界。多了解一下咱们所居住的这个世界，就会少些迟暮之感。国内新闻之外，一定也要关心国际，因为那里既有咱们的今天，也有咱们的明天。

1998 年 3 月 25 日

（原载《人民日报》，1998 年 4 月 3 日。）

写到不能拿笔的那一天

自从 1979 年这支笔又回到我手中以来，我可一刻也没让它闲着。这辈子足足丢了二十二年。我一直努力把丢失的岁月捡回来，能捡多少就捡多少。

我是在 20 世纪第十个年头出生的。如今，再过一个来年头就进入 21 世纪了。我即使能同那个世纪照个面，估计那时候，我也会老得拿不动笔了。从开始写作，我就总喜欢同读者谈心，这回，我当然更不会放弃这机会，用意不外乎为了缩短我同读者之间的距离。

不少朋友自幼都打下古典文学的底子，我则出生在一个穷蒙古人的家中，我老爸竟没等我出生就走人了。活着的时候，他的营生是管开关东直门的城门。寡母是文盲。早年家里除了一位喜拉胡琴哼几声二黄的堂兄，就是识几个大字的堂姐。她个子矮相貌平庸（所以一生未嫁），但她有一颗金子般善良的心和一肚子的传奇演义。她时而为我说《三侠五义》，时而又哼几句《三娘教子》。她可以说是我的启蒙老师。她背得最熟的是一本《名贤集》，其中，她反复教我的，是"既在矮檐下，怎敢不低头"。小时候，苦命的妈妈在外佣工，把我寄养在婶婶家里，过的正是寄人篱下的日子。那段畸形的生活曾在我的心灵中留下了不健康的烙印。1957年后的那些年，我好像又回到动辄得咎的童年。

所以每当人们问起我在自己的作品中最喜爱什么的时候，我总毫不怀疑地回答说，是小说；而小说中，我最心爱的又是《篱下》和《矮檐》。我并不是在品评它们在艺术上的优劣——那是属于批评家的神圣领域，原作者不应说三道四。我喜欢的不是它们写得如何。尽管其中情节大都是虚构的，但它们是我抚摩着自己心灵中的伤痕写成的。

说起小说，我一直把《蚕》当作我的处女作。而这次，出文集时，编者傅光明把我1929年在《燕大月刊》上发的小说《梨皮》翻了出来，如果把它算作我真正意义上的处女作，那我的写作也有七十个年头了。一晃我也成了奔九十的老人。1932年至1933年，我在福州教过一年书。《蚕》的背景是福州的仓前山和大桥头。小说中"梅"是我当时的女友，已故的高君纯女士。她虽是闽侯人，但并没到过福州。是我硬把她"搬"到那里，陪我发挥了一通很不高明的"宇宙观"。那时我认为人不是自己的主宰，冥冥中有一只大手在摆布着一切，而那只大手也不是万能的。其实，我脑子里闹腾的不过是一场宇宙不可知论。

当我更成熟了一些时，我这种不可知论就为"事在人为，人定胜天"的观点所代替了。我不再琢磨谁在主宰着宇宙这个玄而又玄的问题了。说是实用也好，反正更脚踏实地了。我已排除了命运的想法，回到了种瓜得瓜的现实主义观点。一个人的前途如何？国家在 21 世纪的前景如何？这些统统不可能有预先的答案。答案就在我们每迈出的一步。我认为生活是同宇宙的一场对垒，如棋局。输赢全在每一步，背后是良知和机智。个人如此，整个民族也如此。其中，关键在于能不能和肯不肯记取前车之鉴，善不善于倾听时代的声音。"四人帮"之一意孤行，倒行逆施，就是由于他们忘记了希特勒的下场。

虽说是个未带地图的旅人，但我一直在寻找并辨识人生的方向。早在 1934 年我就在《我与文学》一文中，说出了我的志向，我为自己规划的航向是：通过新闻工作以达到文艺创作的目的。我是想先写报道通讯，最终想写的是小说。然而世事不可能尽如人意。现在回顾起来，记者我倒当了十几年，在国内外，然而1949 年正当我结束记者生涯，想动手创作时，我已变成一个只能服从分配的螺丝钉了。那时，除非来自老区或少数党外重点统战对象，专门从事创作已不可能。而到了60年代，再回首人民共和国最初那十几年，没能从事创作却是我莫大的幸运，不然岂能逃过"梁效先生"的刀斧。连这样，1957年还大翻老账，甚至明明针对国民党的塔塔木林也算反党罪行哩。

所以每当想起"三家村"诸公以及60年代红色风暴中的受害者，我就感激1957年的反右运动，因为它老早就夺去了我手中的笔，封上我那多事的嘴。然而我永远也不能忘记像遇罗克和张志新那样真正的英雄。我这个在矮檐下长大的人自知在逆境中没有他们那份勇气。然而我又不甘随波逐流。所以面对巴金"说真话"的号召，我只敢答以：尽量说真话，坚决不说假话。连这一点，要是在红色恐怖下，我也不知道能不能真正做到。

1979年以后，当那支秃笔又回到我手中时，我可没让它闲过。1957年我曾发誓今生再不舞文弄墨。其实，那完全是出自阿Q心理，当时想弄也不让弄了。

1979年后，首先海内外的报刊编者们就不让我闲下来，四面八方都来索稿。我本就手痒了足足二十九年，同时，又受到新时期新事物的感召，就又写起来了，而且劲头还很足。我的十卷文字中，有一半都是这近十几年写的。这段时间里，我总觉得受到两方面的鞭策。一方面是死亡：我自知离八宝山不太远了，因而懂得了抓紧时间；另一方面每逢想到多少好人、能人都死了，自己却活了下来，就觉得只有加倍努力，才对得起自己的这份幸运。

我决心写到不能拿笔的那一天。

如果要我界定一下以前的和近时所写的，我想从前我曾努力的是描绘人生，近年来则是在咀嚼人生了。尤其我最近为早年作品所写的"余墨"，有的回忆当年写作的动机及背景，也有的属于借题发挥。我希望它们不至于搅扰阅读。倘若有时还能增加点透明度，那就更好了。我本想再多写一些，可写着写着笔就涩了，我也不想勉强自己。这时有些文章，如《拟 J·玛萨里克遗书》，由于事过境迁，读来可能莫知所云。"余墨"对读者可能有些佐助。这也是我最初想起写"余墨"的动因。

我是个喜欢追忆过去的人。《未带地图的旅人》之前，我就曾写了不少回忆性质的文章。有些朋友抱怨我在书中淡化了自己曾折腾了一辈子的感情生活，四次结婚竟然一笔带过。他们读不过瘾。这一点我是经过认真考虑的。同"小树叶"分手，责任应全部在我，她是无辜的。至于另外两次婚姻的破裂，则双方都有责任。现在去揭那伤疤，不但徒寻苦恼，说不定还会打官司。反正 1954 年与洁若结婚至今，我们恩爱如初。西谚说，人生始自四十。我在四十岁上，魂儿才真正安顿下来，再也不愿折腾了。也只有这样，才能出点活儿。

总之，命运对我不薄。1935年毕业半个月后，我就去天津《大公报》上了班。我先后编了六七年副刊，一边还写着通讯。我跑过鲁西水灾、岭东潮汕、滇缅公路，最后还赶上了六年欧战。1946年回国不久，就去了海南和台湾。1950年我又被派去参加土改。我曾报道了50年代轰轰烈烈的土地改革。

改造了七八年，到1957年一临考试，仍没能及格。那以后三年多，我成为一名单纯的体力劳动者，而且是作为惩罚。劳动，我不怕。可那时被降为次等公民，滋味终身难忘。

然而祸福是难从表面上分辨的。那支笔从我手中被夺走后，忽然松动了几年。于是，言论界又活跃起来。没几年"三家村"诸公就又大遭其殃。

"文革"中，多少品学兼优的读书人都因写而致命。可这笔，动惯了就是放不下。

1979年气候由阴霾又变为晴朗。头上的那顶帽子蓦地不翼而飞了。不但个人复生，国家的四肢也由僵直而灵活起来。我就常想，要是50年代就这样，社会该会多么先进，国家该会变得多么富强！多少人原可以大显身手，却竟身陷囹圄，甚至死于非

246

命。何必那么经常搞运动，定比例，凑人数，伤害众多无辜！世界上坏人总是少数，把他们绳之以法不就结了。什么"百花齐放，百家争鸣"！还不如干脆宣布一花独放，一家争鸣来得安全。惩罚了直言者，于是，谎言就变得时兴起来！

我真诚希望我们的路线越来越宽，新一代的才智能毫无忌惮地发挥出来。

我们走过的这20世纪可以说是坑坑洼洼，时常危机四伏。先是军阀混战，然后是国民党统治。1949年至1979年，也是风云迭起。一场"文革"，倘若发生在一个小国，非灭亡不可！

即将迎来21世纪，我对我们这个民族满怀希望。我希望我们能充分吸取往昔的教训。我衷心预祝未来的中国不但富强，而且也是一个自由、文明、合理、公正，一个畅所欲言、各尽所能的国家。

1998年9月16日于北京医院

（原载《友报》，1998年11月20日。）

人生感怀

　　去年2月间我因患心肌梗塞住进北京医院。一天，一位住隔壁的病友突然叩门而入，自我介绍是30年代曾为《大公报·文艺》写过稿的吕琳。于是，我记起刚从沈先生手里接过那个刊物之后，他写给我一首长诗：《年》，写的是"九一八"事变后，东北流亡学生和老百姓走投无路，露宿北平街头还遭受军警用皮鞭抽打，而富贵人家还大放鞭炮，赶着过年。长诗不久就在刊物上发表了。

　　这次吕老也是因心脏病住医院，我们经常并肩坐在阳台长椅上聊天，才知道他写那首长诗时年仅二十一岁，在大学主修哲学。卢沟桥事变之后，他辗转去了延安。解放后被派到苏联几年，专攻炮学，并参加苏联专家团，来华修建我国第一座综合基地，也即是我国试验研制火箭的一位早期组织者。

人到暮年，病中邂逅，又提起往事，倒也是一件乐事。

比起这位先钻哲学，后又搞尖端科技的朋友，我真是惭愧。我小时候寄养在三堂兄家，自小学三年级就半工半读，不少重要课（如几何、代数）都没上成。尽管后来机遇曾使我去英国，当上剑桥大学皇家学院一名硕士生，但至今仍感学无根柢。

回顾我这一生，很多朋友都是通过《大公报·文艺》结识的。起初我向《文艺》投稿，及至自己编起《文艺》，比我年轻的文学青年又向我这个刊物投稿。其中，北京的严文井后来一度变成了我的上司（60年代他任人民文学出版社社长时，我是该社的一名编辑）。还有柳杞，与我经常往来。沈阳的罗定枫来京时，曾来舍下看望过我。后来我因文史馆事去沈阳开会，也回访过他。至于武汉的李薰的友谊，又延续到第三代。可惜今年年初，他不幸去世。

小时候，我朦朦胧胧地有股上进的劲头，主要表现在求知欲上。念完初中，堂兄就想迫我去邮政局当练习生，替他养家。我同他决裂了，还是上了高中。可差半年就毕业时，我又因参加学运，同校方闹崩了，我没低头，就那样去广东教了一年书。回京后，教育部搞了一项甄别考试，我才被补发了一张文凭。

我出了大学门，就进了《大公报》编文艺副刊，这工作成为我一生的主要行当。编之外，我也写。1999 年我将出一套十卷集，其中包含我一生主要著作。那时，我就八十九岁了，时而感到体力不支，但只要我一息尚存，手里这杆笔，是绝不会丢开的。

1998 年 7 月 22 日

（原载《明报》月刊，1998 年 10 月号。）

编　后　记

在三联书店旧编的这本《北京城杂忆》基础上，我增补了 11 篇追往忆旧的同类文章，包括萧乾写于 20 世纪八九十年代的《三姐常韦》。我的三姐文常韦于 1993 年 1 月 5 日去世。进入 21 世纪，人们在北京大学一位教授家的阁楼里，发现了我二姐文树新写于 1932 年的日记手稿，还有我三姐（原名文棣新，自从二姐离家后，改名文常韦）写给二姐的信。我更重视三姐这批信，少女时代，她的文字表达能力超过了晚年的她。萧乾写过多篇悼念文章，我认为《三姐常韦》显现了他对人生的大彻大悟。

《心债》是萧乾于 1998 年 6 月 1 日，在北京医院病房里写的。八个月后，1999 年 2 月 11 日，他因肾衰竭导致心脏衰竭，于下午六点钟逝世。他在《心债》中写道，遗弃王树藏是他"一生最大的一件恨事……纯粹由于我的过失，造成我们婚姻的破裂。……由于我的自私、任性，害得'小树叶'好苦。我是罪孽深重！……人，可惜只能活一辈子。我劝青年读者：感情这件事，千万大意不得！"

萧乾是微笑着离开人世的。改革开放后，他曾对我说："如果挂肖像，我就挂小平同志的。"萧乾的一生是追求真理、笔耕文坛的一生，所有曾为他的人格，为他的作品所感动的人将永远怀念他。

文洁若

2012 年 1 月 17 日

生活·读书·新知 三联书店陆续刊行

《国文百八课》	叶绍钧、夏丏尊
《文心》	夏丏尊、叶圣陶
《经典常谈》	朱自清
《论雅俗共赏》	朱自清
《语文常谈》	吕叔湘
《语文杂记》	吕叔湘
《语文闲谈》[选订本]	周有光
《在语词的密林里》	尘 元
《文章修养》	唐 弢
《汉字王国》	(瑞典) 林西莉
《国学常识》	曹伯韩
《万历十五年》	(美) 黄仁宇
《中国大历史》	(美) 黄仁宇
《中国近百年史话》	曹聚仁
《写给大家的中国美术史》	蒋 勋
《中国建筑文化讲座》	汉宝德
《毛泽东的读书生活》	龚育之、逄先知、石仲泉
《白石老人自述》	齐白石
《绿色遥思》	张 炜
《京华忆往》	王世襄
《岁朝清供》	汪曾祺
《故事和书》	孙 犁
《世界美术名作二十讲》	傅 雷
《傅雷书信选》	傅 雷

图书在版编目（ＣＩＰ）数据

北京城杂忆 / 萧乾著；文洁若编. —— 修订版. ——
北京：生活·读书·新知三联书店，2012.10
（中学图书馆文库）
ISBN 978-7-108-04138-8

Ⅰ．①北… Ⅱ．①萧… ②文… Ⅲ．①杂文集－中国
－当代 Ⅳ．①I267.1

中国版本图书馆CIP数据核字(2012)第123615号

责任编辑　郑　勇　唐明星
装帧设计　崔建华
责任印制　徐　方
出版发行　**生活·讀書·新知**三联书店
　　　　　（北京市东城区美术馆东街22号）
邮　　编　100010
经　　销　新华书店
印　　刷　北京鹏润伟业印刷有限公司
版　　次　2012年10月北京第1版
　　　　　2012年10月北京第1次印刷
开　　本　787毫米×1092毫米　1/32　印张 8.25
字　　数　138千字
印　　数　00,001-10,000册
定　　价　25.00元